16	3	2	13
5	10	11	8
9	6	7	12
4	15	14	1

Coleção LESTE

Fiódor Dostoiévski

DUAS NARRATIVAS FANTÁSTICAS

A dócil e
O sonho de um homem ridículo

Tradução, prefácio e notas
Vadim Nikitin

editora■34

EDITORA 34

Editora 34 Ltda.
Rua Hungria, 592 Jardim Europa CEP 01455-000
São Paulo - SP Brasil Tel/Fax (11) 3811-6777 www.editora34.com.br

Copyright © Editora 34 Ltda., 2003
Tradução © Vadim Nikitin, 2003

A FOTOCÓPIA DE QUALQUER FOLHA DESTE LIVRO É ILEGAL E CONFIGURA UMA
APROPRIAÇÃO INDEVIDA DOS DIREITOS INTELECTUAIS E PATRIMONIAIS DO AUTOR.

Edição conforme o Acordo Ortográfico da Língua Portuguesa.

Títulos originais:
Krôtkaia e *Son smiechnôvo tchieloviêka*

Imagem da capa:
A partir de xilogravura de Oswaldo Goeldi, c. 1937
(autorizada sua reprodução pela Associação Artística Cultural
Oswaldo Goeldi - www.oswaldogoeldi.com.br)

Capa, projeto gráfico e editoração eletrônica:
Bracher & Malta Produção Gráfica

Revisão:
Cide Piquet

1ª Edição - 2003 (3 Reimpressões), 2ª Edição - 2009, 3ª Edição - 2011
(2 Reimpressões), 4ª Edição - 2017 (5ª Reimpressão - 2025)

Catalogação na Fonte do Departamento Nacional do Livro
(Fundação Biblioteca Nacional, RJ, Brasil)

Dostoiévski, Fiódor, 1821-1881
D724d   Duas narrativas fantásticas: A dócil e
O sonho de um homem ridículo / Fiódor Dostoiévski;
tradução, prefácio e notas de Vadim Nikitin —
São Paulo: Editora 34, 2017 (4ª Edição).
128 p. (Coleção Leste)

Tradução de: Krôtkaia e Son smiechnôvo tchieloviêka

ISBN 978-85-7326-271-1

1. Ficção russa. I. Nikitin, Vadim. II. Título.
III. Série.

CDD - 891.73

DUAS NARRATIVAS FANTÁSTICAS
A dócil e
O sonho de um homem ridículo

Notas do subtexto 7

A DÓCIL

Do autor 13

Capítulo primeiro

I. Quem era eu e quem era ela 19
II. Pedido de casamento 29
III. O mais nobre dos homens,
     mas eu mesmo não creio 35
IV. Sempre planos e mais planos 41
V. A dócil se revolta 47
VI. Uma recordação terrível 55

Capítulo segundo

I. Um sonho de orgulho 61
II. De repente o véu caiu 69
III. Entendo bem demais 77
IV. Cheguei só cinco minutos atrasado 83

O SONHO DE UM HOMEM RIDÍCULO

1 91
2 99
3 103
4 111
5 117

Traduzido diretamente do original russo *Pólnoie sobránie sotchnienii v tridtzáti tomákh — Publitsística i písma* (*Obras completas em trinta tomos — Jornalismo e correspondência*), tomos 24 (*Dniêvnik pissátielha za 1876 god: noiábr-diekábr/Diário de um escritor do ano de 1876: novembro-dezembro*, "Krôtkaia"/"A dócil") e 25 (*Dniêvnik pissátielha za 1877 god: iánvar-ávgust/Diário de um escritor do ano de 1877: janeiro-agosto*, "Son smiechnôvo tchieloviêka"/"O sonho de um homem ridículo"), Leningrado, Naúka, 1982 (tomo 24) e 1983 (tomo 25).

As notas do tradutor fecham com (N. do T.). As demais são de L. D. Opulskaia, G. F. Kogan, A. L. Grigóriev e G. M. Fridlénder, que prepararam os textos para a edição russa e redigiram as notas, e estão assinaladas como (N. do E.).

NOTAS DO SUBTEXTO

Vadim Nikitin

> Este trabalho de tradução é dedicado à memória de Olga, minha meia-irmã, que não conheci, e a Ana Maria Ceban Thomé, que também estudou russo.

ARCA RUSSA

As novelas *A dócil* e *O sonho de um homem ridículo* foram publicadas pela primeira vez em novembro de 1876 e abril de 1877, respectivamente, no *Diário de um escritor*, a revista mensal que Fiódor Dostoiévski redigiu e editou sozinho entre 1876 e 1879, dois anos antes de sua morte. Nasceram, portanto, da combinação tensa entre o narrador e o jornalista na obra de um homem decidido a investigar a eternidade com os olhos postos na urgência do dia.

Mesmo quando já era um romancista consagrado, Dostoiévski arriscou todas as fichas num projeto que nutria desde a volta do exílio siberiano em 1859: ser o dono e o jornalista do seu órgão de imprensa, no qual pudesse expor livremente tudo o que experimentara como escritor russo. Assim, em janeiro de 1876 apareceu o número um do *Diário de um escritor*, que nos quiosques custava vinte copeques o exemplar e cuja assinatura anual não passava de dois rublos. As vendas logo chegaram a oito mil exemplares por edição. E, fora os anúncios, era o próprio Dostoiévski que redigia as dezesseis páginas de cada número, enquanto a sua segunda mulher, Anna Grigórievna, administrava toda a infraestrutura da empresa. O escritor era maníaco pela pontualidade

Prefácio

da publicação, e já perto do fim da vida não raro alternou as madrugadas de trabalho em casa com longos plantões na gráfica. Como todo bom narrador russo, gostava de moer no áspero e fantasiar ao mesmo tempo.

No *Diário*, Dostoiévski era, além de escritor, crítico literário, analista político, memorialista, debatedor do socialismo utópico europeu e entusiasta do caráter nacional russo (a Rússia e a sua missão messiânica perante o Ocidente). Não via fronteiras entre seu jornalismo e sua arte, e considerava o *Diário* uma caderneta de campo de *Os irmãos Karamázov* (1881). Inveterado leitor de jornais, transformava logo qualquer notícia em notas para futuras narrativas.

A principal fonte de *A dócil*, por exemplo, está na onda de suicídios que então varria São Petersburgo, e especialmente no de uma costureirinha, Maria Boríssovna, registrado pelo jornal *Nôvoie Vrêmia* (*O Novo Tempo*). Maria viera sozinha de Moscou e, acuada pela miséria, acabou atirando-se de um quarto andar abraçada a um ícone da Virgem, presente dos seus pais. A relação entre a suicida e o ícone obsedou Dostoiévski, de modo que dois meses depois surgia a sua novela. Esse suicídio, aliás, lembrou-lhe outro, o de Lisa Herzen, filha de Aleksandr Herzen, importante líder do radicalismo russo da primeira metade do século XIX. Num artigo do *Diário* intitulado "Dois suicídios", condena este último como fruto de uma "educação materialista" e redime o primeiro, "dócil e resignado".

No fim da vida, Dostoiévski tornou-se mais célebre pelo *Diário* do que pela sua obra anterior: recebia inúmeras cartas de toda a Rússia, e os seus leitores chegavam mesmo a procurá-lo em pessoa. Talvez esse desejo de diálogo, inclusive no sentido que Bakhtin dá ao termo, deva-se a esse modo específico de entretecer *informação* e *experiência* numa nova forma literária capaz de provocar o leitor. A guerra da Rússia contra a Turquia, as lembranças de infância de Fiódor sobre o mujique Marei ou o evangelho apócrifo de um homem ridículo que prega uma utopia anti-iluminista — tudo cabe e se transfigura nessa autêntica arca russa que é o *Diário*.

NOTAS DO SUBTEXTO

A dócil já foi traduzida por *Uma doce criatura*, *Ela era doce e humilde* ou simplesmente *Ela*. O original é *Krôtkaia*, ou seja, o adjetivo *krôtkii* substantivado e colocado na forma feminina (o russo não possui artigo). A etimologia de *krôtkii* tem relação com "amansado ou domesticado por castração". Sob a aparente candura da palavra, há um processo violentíssimo, patente ao longo da narrativa. Em português, "dócil" parece-me ser o adjetivo mais afim a esse sentido original.

Os dois textos aqui traduzidos receberam do autor o subtítulo de "narrativa fantástica" (*fantastítchieskii raskáz*). Em vez de "história" ou "conto", outras possíveis traduções de *raskáz*, optei por "narrativa" em virtude da sua abrangência e da sua ligação fundamental com o verbo "narrar". Quanto ao gênero, ambos aproximam-se da *novela*, entendida como uma narrativa literária relativamente extensa cujo ponto de virada precipita o seu próprio desfecho.

O leitor talvez estranhe ao longo do texto vernáculo uma certa dissonância na pontuação, sobretudo no uso singular dos travessões e no caso de pontos finais que tomam o lugar de pontos de interrogação ou de exclamação. Segui à risca a pontuação de Dostoiévski, que é propositalmente incomum e também fere o ouvido russo. Outro dado a observar é a sua famosa estilística da repetição: algumas palavras ou expressões se repetem de maneira obsessiva, como "então" ou "de repente". Sempre que possível, procurei manter em português essa estilística.

Convém lembrar que o que parece um inacabamento do texto, tantas vezes atribuído à pressa jornalística de Dostoiévski, é na verdade a forma da "prosa gaga" dos seus narradores, homens ridículos do subsolo dialogando agonicamente consigo e com as vozes alheias que os atravessam.

No embate com o original russo, pude valer-me das preciosas traduções de André Markowicz (*La Douce*, Arles, Actes Sud, 1992, e *Le Rêve d'un homme ridicule*, Arles, Actes Sud, 1993), Manuel Frazão ("Ela", em *Os grandes contistas russos*, Lisboa, Presença, 1964) e Fátima Bianchi (*Os caminhos da razão e as tramas secretas do coração: a representação da realidade em* A dócil, *de Dostoiévski*, Tese de Mestrado, São Paulo, USP, 2001).

Pirlimpsiquice

Em 1995, tive o prazer de ser convidado por Jairo Mattos e Cacá Carvalho a traduzir e a adaptar para o teatro a novela *O sonho de um homem ridículo*. Esse monólogo de Jairo dirigido por Cacá estreou em outubro do mesmo ano no Teatro de Câmara de São Paulo. A eles devo, com gratidão e saudade, o primeiro contato com esse texto.

Spassíba!

A Boris Schnaiderman, Davi Arrigucci Jr., Elaine Ramos, José Miguel Wisnik, Klara Gouriánova, Marciano Lourenço de Souza, Octavio Araujo, Paulo Lins, Silvana Jeha, Sofia Laznik-Galves — e a Elena Nikitina, dicionário do coração, e Yara Adario Frateschi, coração de aprender a falar de novo.

A DÓCIL

Narrativa fantástica
(1876)

DO AUTOR

Peço desculpas aos meus leitores, pois desta vez, em lugar do *Diário*[1] na sua forma habitual, ofereço apenas uma novela. Mas estive de fato ocupado com essa novela a maior parte do mês. De qualquer modo, peço a indulgência dos leitores.

Agora, a respeito da própria narrativa. Intitulei-a "fantástica", ainda que eu mesmo a considere realista ao extremo. Mas o fantástico aqui existe de fato, e mais precisamente na própria forma da narrativa, o que julgo necessário elucidar de antemão.

O caso é que não se trata nem de narrativa nem de memórias. Imaginem só um marido, sobre a mesa de casa jaz a sua mulher, uma suicida, que algumas horas antes jogou-se pela janela. Ele está transtornado e ainda não teve tempo de juntar as suas ideias. Anda pelos cômodos da casa e procura atinar com o ocorrido, "juntar as suas ideias num ponto". Ademais é um hipocondríaco inveterado, daqueles que falam sozinhos. Aí está ele falando sozinho, narrando a coisa, *esclarecendo-a* para si mesmo. Apesar da coerência aparente da fala, contradiz-se várias vezes, tanto na lógica quanto

---

[1] *Diário de um escritor* (revista mensal publicada por Dostoiévski de 1876 a 79). Ver "Notas do subtexto", prefácio do tradutor. (N. do T.)

A dócil

nos sentimentos. Ele se justifica, e a acusa, e se lança a explicações despropositadas: aqui há grosseria de pensamento e coração, e aqui há sentimento profundo. Pouco a pouco ele de fato *esclarece* a coisa para si mesmo e junta "as ideias num ponto". A série de recordações que evoca acaba por levá-lo irrefutavelmente à *verdade*; a verdade enaltece a sua inteligência e o seu coração. No final até o tom da narrativa se modifica em comparação com o seu começo desordenado. A verdade se revela ao infeliz de modo bastante claro e definitivo, pelo menos para ele.

Eis o tema. Evidentemente, o processo da narrativa dura várias horas, com saltos e quiproquós, e tem forma atabalhoada: ora ele fala para si mesmo, ora se dirige como que a um ouvinte invisível, a algum juiz. Aliás, é assim que sempre acontece na realidade. Se um estenógrafo pudesse flagrá-lo e tomar nota de tudo, o resultado seria um pouco mais áspero, mais bruto do que aquilo que apresento aqui, mas, até onde me parece, a ordem psicológica talvez permanecesse a mesma. Pois a hipótese do estenógrafo que anotaria tudo (cujas anotações eu depois retrabalharia) é o que chamo de fantástico nesta narrativa. Em parte, porém, algo semelhante já foi admitido mais de uma vez na arte: Victor Hugo, por exemplo, na sua obra-prima *O último dia de um condenado*,[2] usou quase o mesmo procedimento, e, embora não te-

---

[2] *Le dernier jour d'un condamné* (1829), de Victor Hugo (1802--1885). Essa breve narrativa, que chegou a receber uma tradução russa de Mikhail Dostoiévski, o irmão mais velho de Fiódor, exerceu enorme influência sobre o escritor. O romance *O idiota* (1868), por exemplo, cita-a obsessivamente, o que por sua vez retoma no plano literário um episódio biográfico seminal: em 1849, Dostoiévski fora condenado à morte por participar do famoso Círculo de Pietrachévski, ao lado de mais alguns "conspiradores"; mas, no último instante, o fuzilamento revelou-se uma

nha concebido o estenógrafo, admitiu uma inverossimilhança ainda maior ao supor que um condenado à morte fosse capaz (e tivesse tempo) de escrever memórias não só no seu último dia como até na última hora e literalmente no último minuto. Mas, não admitisse ele essa fantasia, não existiria a própria obra — a obra mais realista e mais verdadeira de todas as que escreveu.

farsa ostentatória do poder de Nicolau I, e o escritor acabou tendo a pena capital comutada por quatro anos na Sibéria seguidos de mais algum tempo no exército. F. N. Lvov, um dos seus companheiros de agonia, contou que à beira da suposta morte Dostoiévski ainda conversava sobre *Le dernier jour*, e uma carta de Fiódor a Mikhail escrita logo após essa "ressurreição" trazia uma frase do condenado de Hugo, "*On voit le soleil*" ["Vê-se o sol"], em francês, extraída da seguinte passagem: "*Un forçat, cela marche encore, cela va et vient, cela voit le soleil*" ["Um presidiário é alguém que ainda pode caminhar, alguém que vai e vem, alguém que vê o sol"]. Ver Joseph Frank, *Dostoiévski: os anos de provação, 1850-1859*, trad. Vera Pereira, São Paulo, Edusp, 1999, pp. 92-102, e *O último dia de um condenado*, trad. Joana Canêdo, São Paulo, Estação Liberdade, 2002. (N. do T.)

A dócil

CAPÍTULO PRIMEIRO

I
QUEM ERA EU E QUEM ERA ELA

... Pois enquanto ela ainda está aqui — tudo bem: me aproximo e olho a cada instante; só que amanhã vão levar embora e — como é que eu vou ficar sozinho? Ela agora está na sala sobre a mesa, juntaram duas mesas de jogo,[3] e o caixão vai ser amanhã, branco, um *gros de Naples*[4] branco, e, aliás, nem se trata disso... Eu não paro de andar e querer esclarecer tudo para mim. Pois já faz seis horas que eu quero ver claro e não encontro meio de juntar as ideias num ponto. O fato é que eu não paro de andar, andar, andar... Eis como isso aconteceu. Vou simplesmente contar na ordem (ordem!). Senhores, estou longe de ser um literato, e os senhores podem ver isso, mas não importa, vou contar assim como eu mesmo entendo. É aí que está todo o meu horror, eu entendo tudo!

Se querem saber, ou melhor, se é para começar bem do começo, ela vinha então à minha casa, muito sem cerimô-

---

[3] No original, *lômbiernii*, do castelhano (*l'*)*hombre*, nome de um jogo de cartas. Por extensão, qualquer mesa de jogo retangular, dobrável, revestida de feltro. (N. do T.)

[4] No original, *grodenápl*, forma russificada dessa expressão francesa, nome de uma espécie de tecido sedoso grosso. (N. do T.)

A dócil

nia, penhorar objetos para pagar um anúncio no *A Voz*,[5] que dizia que, bem, assim assim, preceptora, à disposição inclusive para viajar, dar aulas em domicílio etc., etc. Isso foi bem no começo, e eu, é claro, não a distinguia dos outros: chega como todo o mundo, bem etc. Mas depois passei a distingui-la. Ela era franzina, loirinha, de estatura um pouco acima da mediana; comigo era sempre desajeitada, como se se perturbasse (acho que com todos os estranhos ela era assim também, e eu, é lógico, era para ela a mesma coisa que esse ou aquele, isto é, se tomado não como penhorista, e sim como homem). Mal recebia o dinheiro, no mesmo instante virava as costas e ia embora. E sempre calada. Os outros tanto discutem, pedem, pechincham para que lhes deem mais; essa aí não, o que lhe derem... Sempre acho que estou me atrapalhando todo... Sim; o que me surpreendeu antes de mais nada foram os seus objetos: brinquinhos de prata banhados em ouro, um medalhãozinho chinfrim — objetos de vinte copeques. Ela mesma sabia que valiam quando muito dez copeques,[6] mas pelo seu rosto eu via que para ela eram uma preciosidade — e de fato isso era tudo o que lhe tinha ficado do seu papácha e da sua mamácha,[7] como soube depois. Uma única vez me permiti sorrir diante dos seus objetos. Isto é, vejam só, nunca me permito uma coisa dessas, tenho com a clientela um tom de *gentleman*:[8]

[5] No original, *Gólos*, importante periódico semanal da época, lido regularmente por Dostoiévski. (N. do T.)

[6] No original, *gríviennik*, "moeda de dez copeques". Os "vinte copeques" logo acima são o valor de um *dvugríviennii* (*dvu*, dois). (N. do T.)

[7] Neologismos afetivos: "papai" e "mamãe". (N. do T.)

[8] No original, forma russificada dessa palavra inglesa. (N. do T.)

poucas palavras, cortês e severo. "Severo, severo e severo."[9] Mas ela de repente se permitiu trazer os restos (isto é, literalmente) de um velho casaquinho curto[10] de pele de lebre — e eu não aguentei e de repente lhe disse qualquer coisa, a título de gracejo. Meu Deus, como ela enrubesceu! Os seus olhos são azuis, grandes, pensativos, e — como pegaram fogo! Mas não deixou escapar uma palavra, pegou os seus "restos" e — saiu. Foi aí que pela primeira vez eu a notei *particularmente* e pensei a seu respeito algo no gênero, isto é, precisamente algo num gênero particular. Sim: ainda me lembro da impressão, isto é, se quiserem, da impressão mais essencial, a síntese de tudo: a bem dizer, que era terrivelmente jovem, tão jovem que parecia ter quatorze anos. E no entanto faltavam então três meses para os seus dezesseis anos. Aliás, não era isso o que eu queria dizer, a síntese não estava em nada disso. No dia seguinte apareceu de novo. Soube depois que ela tinha ido a Dobronrávov e a Moser com o casaquinho, mas esses, exceto ouro, não aceitam nada, e não quiseram conversa. Uma vez cheguei a aceitar dela um camafeu (chinfrim também) — e, ponderando, depois me espantei: eu, exceto ouro e prata, também não aceito nada, mas dela admiti um camafeu. Esse foi então o meu segundo pensamento sobre ela, isso eu lembro.

Dessa vez, isto é, tendo passado por Moser, ela trouxe uma piteira de charuto de âmbar — uma pecinha de nada,

---

[9] Citação imprecisa de *O capote* (1842), de Nikolai Vassílievitch Gógol (1809-1852). A Dostoiévski se atribui uma das máximas da história literária russa: "Todos nós saímos do *Capote* de Gógol". (N. do T.)

[10] No original, *kutsavéika*, palavra cuja raiz é o adjetivo *kútsii*, "de rabo curto ou cortado", aplicável tanto a roupas quanto a ideias. (N. do T.)

A dócil

para amadores, mas para nós novamente sem valor nenhum, porque conosco — só ouro. Como ela vinha já depois da *revolta* da véspera, eu a recebi com severidade. Severidade, comigo — é secura. Não obstante, ao lhe dar dois rublos, não aguentei e disse, como que com uma certa irritação: "Veja que só faço isso *para a senhora*, um objeto assim Moser não aceitaria". As palavras: "para a senhora", sublinhei-as de modo particular, e mais precisamente *num certo sentido*. Fui mau. Ela enrubesceu de novo ao ouvir esse *para a senhora*, mas calou-se, não largou o dinheiro, aceitou-o — o que não é a pobreza! E como enrubesceu! Vi que lhe tinha dado uma alfinetada. E, quando ela já tinha saído, de repente me perguntei: será então que essa vitória sobre ela vale dois rublos? Eh, eh, eh! Lembro que fiz duas vezes justamente essa pergunta: "Será que vale? será que vale?". E rindo decidi comigo mesmo pela afirmativa. Eu fiquei bem alegre na ocasião. Mas não era um sentimento ruim: eu tinha uma intenção, um propósito; queria colocá-la à prova, porque de repente começaram a me fermentar certos pensamentos a seu respeito. Esse foi o meu terceiro pensamento *particular* sobre ela.

... Enfim, foi desde então que tudo começou. Logicamente, procurei logo me informar de todas as circunstâncias por via indireta e esperava a sua chegada com particular impaciência. Eu já pressentia que ela estava por vir. Quando ela chegou, entabulei uma conversa amável, com uma cortesia fora do comum. Pois recebi uma educação digna e tenho maneiras. Hum. Foi aí que adivinhei que ela era boa e dócil. Os bons e dóceis não resistem por muito tempo, e, embora nunca sejam de se abrir muito, não sabem de jeito nenhum esquivar-se da conversa: respondem com parcimônia, mas respondem, e quanto mais longe se vai, melhor, apenas não se deixem cansar, se convém aos senhores. É lógico que nesse tempo ela mesma não me explicou nada. Foi só mais tarde que fiquei sabendo a respeito de *A Voz* e de tudo o mais. Ela então publicava os anúncios com os seus derradeiros recursos, de início, logicamente, com soberba: "preceptora, dizia, à disposição para viajar, enviar condições pelo correio", mas depois: "à disposição para tudo, dar aulas, dama de companhia, fazer o trabalho de casa, tomar conta de doentes, sei costurar" etc., etc., a velha história de sempre! Logicamente, tudo isso ia sendo acrescentado ao anúncio em várias ocasiões, e no final, quando já estava à beira do desespero, até mesmo "sem ordenado, pelo pão". Não, não arranjou emprego! Decidi então colocá-la à prova pela última vez: de repente apanho o *A Voz* do dia e lhe mostro um anúncio: "Pessoa jovem, órfã de pai e mãe, procura emprego de preceptora de crianças pequenas, preferencialmente em casa de viúvo de mais idade. Pode ajudar no trabalho de casa".

— Veja só, essa pôs anúncio hoje de manhã, e à noite provavelmente já arranjou emprego. É assim que se deve anunciar!

De novo enrubesceu, de novo os olhos pegaram fogo, virou as costas e foi embora no mesmo instante. Isso me agradou muito. Aliás, eu então já tinha certeza de tudo e não receava: piteiras é que ninguém iria aceitar. E nem piteiras ela tinha mais. Foi isso mesmo, aparece no terceiro dia, tão palidazinha, tão agitada — vi que alguma coisa havia acontecido na sua casa, e realmente havia acontecido. Já explico o que havia acontecido, mas agora quero apenas recordar como eu então de repente fiz bonito diante dela e cresci aos seus olhos. Foi essa intenção que me veio de repente. O fato é que ela trouxe esse ícone (decidiu trazê-lo)... Ai, escutem! escutem! Agora sim é que tudo começa, é que até aqui eu só me

A dócil

atrapalhava... O fato é que agora quero recordar tudo isso, cada minúcia, cada fiozinho. Não paro de querer juntar as ideias num ponto e — não consigo, e há esses fiozinhos, esses fiozinhos...

O ícone da Virgem. A Virgem com o Menino, doméstico, familiar, antigo, adorno de prata banhado em ouro — vale — digamos, vale uns seis rublos. Vejo que o ícone lhe é caro, está penhorando o ícone todo, não tira o adorno. Digo-lhe que seria melhor se ela tirasse o adorno e levasse o ícone; porque um ícone, afinal de contas, não fica bem.

— E por acaso é proibido para o senhor?

— Não, não é que seja proibido, é que, talvez, para a senhora mesma...

— Então tire.

— Sabe de uma coisa, eu não vou tirar, vou colocar bem ali no oratório[11] — disse eu, depois de pensar um pouco — com os outros ícones, à luz da lamparina (desde que abri a caixa de penhores, deixava sempre uma lamparina acesa), e tome aqui dez rublos, não faça cerimônia.

— Eu não preciso de dez, o senhor me dê cinco, vou resgatar sem falta.

— Mas não quer os dez? O ícone vale — acrescentei eu, notando que os seus olhinhos brilharam novamente. Ela se calou. Eu lhe saquei cinco rublos.

— Não desdenhe ninguém, eu mesmo estive em tais agruras, ou até piores, e se agora a senhora me vê nessa ocupação... isso foi depois de tudo o que eu sofri...

— O senhor se vinga da sociedade? É isso? — atalhou-me de repente com uma zombaria bastante mordaz, na qual

---

[11] No original, *kiót*, uma espécie de caixilho para ícones. (N. do T.)

havia, aliás, muito de ingênuo (isto é, de genérico, porque naquele tempo ela decididamente não me distinguia dos outros, de modo que falou quase sem maldade). "A-ha!" — pensei eu — "então é assim que você é, o caráter se manifesta, com nova direção."

— Veja — observei eu de imediato, meio brincalhão, meio enigmático. — "Eu — eu sou uma parte daquela parte do todo que quer fazer o mal, mas cria o bem..."

Ela olhou para mim rapidamente e com grande curiosidade, na qual, aliás, havia muito de infantil:

— Espere um pouco... Que ideia é essa? De onde é que vem? Eu ouvi isso em algum lugar...

— Não precisa quebrar a cabeça, com essa expressão Mefistófeles apresenta-se a Fausto.[12] Já leu *Fausto*?

— Não... sem muita atenção.

— Quer dizer que nunca leu. Precisa ler. E, aliás, vejo de novo nos seus lábios uma ruga de zombaria. Por favor, não imagine que eu tenha um gosto tão duvidoso que, para pintar o meu papel de penhorista, quis me apresentar à senhora como Mefistófeles. Um usurário vai ser sempre um usurário. Sabemos bem.

— O senhor é um tanto estranho... Eu não queria lhe dizer nada disso, de jeito nenhum...

Ela queria dizer: eu não esperava que o senhor fosse um homem culto, e não disse, mas em compensação eu sabia que ela pensara isso; acertei em cheio no que lhe agradava.

---

[12] Citação imprecisa da seguinte passagem do *Fausto*, primeira parte (1808), de Johann Wolfgang von Goethe (1749-1832), na tradução de Jenny Klabin Segall: "Sou parte da Energia/ Que sempre o Mal pretende e que o Bem sempre cria" (*Fausto I*, São Paulo, Editora 34, 2004, vv. 1.335-6, cena "Quarto de trabalho"). (N. do T.)

A dócil

— Veja — observei eu — em qualquer ramo de atividades pode-se fazer o bem. É claro que não falo de mim, eu, exceto o mal, convenhamos, não faço nada, mas...

— É claro que se pode fazer o bem em qualquer situação — disse ela, lançando-me um olhar rápido e penetrante. — Sobretudo em qualquer situação — acrescentou de repente. Ah, eu me lembro, eu me lembro de todos esses momentos! E quero ainda acrescentar que, quando essa juventude, essa querida juventude, almeja dizer alguma coisa assim inteligente e penetrante, então de repente mostra na cara sincera e ingenuamente demais que "aí está, diz ela, estou lhe dizendo agora algo inteligente e penetrante" — e não é por vaidade como os nossos iguais, mas se vê bem que ela mesma dá extremo valor a tudo isso, e acredita, e respeita, e pensa que os senhores também respeitam tudo isso assim como ela. Ah, a sinceridade! É precisamente com isso que vencem. E nela como isso era encantador!

Eu me lembro, não me esqueci de nada! Quando ela saiu, decidi-me de uma vez. Naquele mesmo dia fui até as últimas buscas e descobri o restante de todos os podres nos quais ela estava metida agora; dos podres do passado eu já sabia tudo por Lukéria, que servia então na casa delas e que eu já subornara dias antes. Esses podres eram tão horríveis que não consigo entender como ainda era possível rir do jeito que rira havia pouco e sentir curiosidade pelas palavras de Mefistófeles, estando ela mesma no meio de tal horror. Mas — a juventude! Foi justamente isso que pensei então sobre ela com orgulho e alegria, porque aí é que estava a generosidade: quer dizer, mesmo à beira da ruína, as grandes palavras de Goethe resplandecem. A juventude, ainda que só uma gotinha e ainda que pelo caminho torto, sempre é generosa. Ou seja, é sobre ela que estou falando, sobre ela apenas. E o principal é que eu então a olhava como sendo *minha* e não duvidava do meu poder. Sabem, quando já não se tem dúvidas, é voluptuoso esse pensamento.

Mas o que há comigo. Se eu continuar assim, quando é que vou juntar tudo num ponto? Depressa, depressa — não é absolutamente nada disso, ah meu Deus!

II
PEDIDO DE CASAMENTO

Os "podres" que descobri sobre ela, explico-os numa palavra: o pai e a mãe tinham morrido, já fazia tempo, três anos antes, e ela ficou em casa de umas tias desregradas. Ou melhor, é pouco chamá-las de desregradas. Uma das tias é viúva, de família numerosa, seis filhos, um menor que o outro, a segunda é solteirona, velha, sórdida. Ambas são sórdidas. O pai dela tinha sido funcionário público, mas escrivão, e não passou de funcionário nobilitado[13] — numa palavra: tudo estava na minha mão. Eu surgia como que de um mundo superior: em todo o caso, um *chtabs-capitán*[14] reformado de um brilhante regimento, nobre de nascença, independente etc., e, quanto à caixa de penhores, as tias só podiam ver isso com respeito. Fazia três anos que estava com as tias em regime de servidão, mas apesar de tudo foi aprovada num exame em algum lugar — conseguiu ser aprovada, cavou tempo para ser aprovada, debaixo de um traba-

[13] No original, *lítchnii dvorianín*; literalmente, "nobre pessoal", ou seja, de nobreza adquirida, e não herdada, e portanto sem títulos a herdar. O pai de Dostoiévski também estava fadado a desfrutar desse tipo de "nobreza". (N. do T.)

[14] Nas forças armadas tsaristas, patente militar superior à de tenente e inferior à de capitão. (N. do T.)

A dócil

lho diário impiedoso — o que da parte dela significava afinal alguma coisa na aspiração ao que é supremo e nobre! Para que então eu queria me casar? Aliás, quanto a mim, que se dane, isso é mais tarde... Não é disso que se trata! Dava aulas para os filhos das tias, costurava a roupa, e no final não só lavava a roupa, mas também, com aqueles seus pulmões, lavava o chão. Sem mais nem menos até batiam nela, jogavam-lhe na cara o pão de cada dia. Acabaram fazendo planos de vendê-la. Arga! omito a lama dos pormenores. Mais tarde ela me contou tudo com minúcias. Tudo isso vinha sendo vigiado durante um ano inteiro por um merceeiro gordo da vizinhança, mas não um merceeiro qualquer, e sim um com duas mercearias. Ele já enterrara duas mulheres e procurava uma terceira, de modo que não tirava o olho dela: "boazinha, diz ele, cresceu na pobreza, enquanto que eu me caso por causa dos órfãos". De fato, ele tinha filhos órfãos. Fez o pedido, começou a se entender com as tias, e além do mais — tinha cinquenta anos; ela estava em pânico. Foi bem aí que passou a me visitar com mais frequência em função dos anúncios no *A Voz*. Afinal, começou a pedir às tias que lhe dessem pelo menos uma gotinha de tempo para pensar. Deram-lhe essa gotinha, mas apenas uma, não deram outra, já foram mordendo: "Nós aqui não sabemos o que é comer mesmo sem uma boca a mais". Eu já sabia de tudo isso, mas foi depois da manhã daquele dia que me decidi. Naquela noite chegou o comerciante, trouxe da venda uma libra[15] de balas a cinquenta copeques;[16] ela fazia sala a ele,

---

[15] No original, *funt*, libra inglesa, unidade de massa pouco inferior a meio quilo. (N. do T.)

[16] No original, *poltínnik*, moeda de cinquenta copeques. (N. do T.)

e eu chamei Lukéria da cozinha e mandei que fosse lhe cochichar que eu estava no portão e desejava lhe dizer algo de caráter muito inadiável. Fiquei satisfeito comigo mesmo. E de modo geral passei todo aquele dia terrivelmente satisfeito.

Ali mesmo no portão, ela já atônita por eu a ter mandado chamar, e diante de Lukéria, expliquei-lhe que seria uma felicidade e uma honra... Em segundo lugar: que não se espantasse com as minhas maneiras e com o fato de estar no portão: "sou um homem, digo eu, franco, e estudei bem as circunstâncias do caso". E não menti ao dizer que sou franco. Bem, que se dane. Falei não só de modo decente, isto é, mostrando-me um homem de formação, mas também de modo original, eis o que importa. O quê, será que é pecado confessar isso? Quero me julgar e me julgo. Devo falar *pro e contra*[17] e falo. Mesmo mais tarde me lembrei daquilo com deleite, embora seja uma tolice: declarei então com franqueza, sem nenhum embaraço, que, em primeiro lugar, não era particularmente talentoso, nem particularmente inteligente, talvez nem mesmo particularmente bom, um egoísta bastante barato (eu me lembro dessa expressão, eu a cunhei então a caminho de lá e fiquei satisfeito) e que é bem, bem possível que eu traga em mim muito de desagradável ainda em outros aspectos. Tudo isso foi dito com um gênero particular de orgulho — sabe-se como se costuma dizer essas coisas. É claro que tive a fineza de, ao declarar nobremente os meus defeitos, não correr a declarar as qualidades: "mas, digo eu, em vez daquilo, tenho isso e isso, isso e isso e isso e aquilo". Eu via que ela ainda estava morta de medo, mas não abrandei nada, e, como se não bastasse, vendo que ela estava com medo, endureci de propósito: disse francamente que estaria

---

[17] Em latim no original. (N. do T.)

A dócil

bem alimentada, sim, mas que vestidos, teatros, bailes — não haveria nada disso, a não ser talvez no futuro, quando tivesse atingido o meu objetivo. Esse tom severo decididamente me encantava. Acrescentei, e também o mais breve possível, que, se assumi tal ocupação, isto é, se sustento essa caixa de penhores, é apenas porque tenho um objetivo, existe, digo eu, uma certa circunstância... Mas é que eu estava no direito de falar assim: eu de fato tinha um tal objetivo e uma tal circunstância. Esperem, senhores, eu fui o primeiro a detestar a vida inteira essa caixa, mas na realidade, embora seja ridículo dizer frases enigmáticas a si mesmo, eu me "vingava da sociedade" de fato, de fato, de fato! Portanto, o seu gracejo da manhã a respeito de que eu "me vingo" tinha sido injusto. Isto é, vejam só, se eu lhe tivesse dito francamente com todas as letras: "Sim, eu me vingo da sociedade", ela cairia na gargalhada, como ainda de manhã, e seria mesmo ridículo. Bem, ao passo que, com uma alusão indireta, lançada numa frase enigmática, constatou-se que era possível subornar a imaginação. Além do mais, eu então já não tinha medo de nada: pois sabia que o merceeiro gordo de qualquer modo era para ela mais asqueroso que eu, e que eu, ali no portão, surgia como um libertador. Eu entendia isso. Ah, as baixezas o homem entende particularmente bem! Mas eram baixezas? Como é que se vai julgar um homem nesse caso? Porventura eu já não a amava mesmo naquele momento?

Esperem: logicamente, não lhe disse então nem uma palavra sobre o favor; ao contrário, ah, ao contrário: "sou *eu*, digo, que fico imensamente grato pelo favor, e não *a senhora*". De modo que isso sim expressei até em palavras, não aguentei, e saiu, talvez, uma tolice, porque notei uma furtiva ruga no seu rosto. Mas no conjunto decididamente saí ganhando. Esperem, se é para recordar toda essa lama, vou recordar até a última porcaria: eu estava ali parado, mas na cabeça se remexia o seguinte: você é alto, esbelto, bem-educado e — e, finalmente, para falar sem fanfarrice, você em si não é nada mau. Eis o que me brincava na veneta. Ela, é lógico, ali mesmo no portão, me disse *sim*. Mas... mas eu devo acrescentar: ali mesmo no portão, ela ficou muito tempo pensando antes de dizer *sim*. Pensou tanto, pensou tanto, que eu já ia perguntar: "E então, como é?" — e, não aguentando, perguntei muito chique: "E então, como é, senhorita?" — com o "senhorita" de cortesia, inclusive.[18]

— O senhor espere, eu estou pensando.

E o seu rostinho era tão sério, mas tão sério — que já naquele momento eu poderia ter lido tudo! Só que em vez disso eu me ofendia: "Será possível, penso eu, que ela esteja escolhendo entre mim e o comerciante?". Ah, eu então ainda não entendia! Eu então ainda não entendia nada, nada! Até hoje não tinha entendido! Lembro que Lukéria saiu correndo atrás de mim quando eu já estava indo embora, parou-me no caminho e disse afobada: "Deus lhe pague, meu senhor, por levar a nossa senhorinha querida, só não vá dizer isso a ela, que ela é orgulhosa".

Ora, orgulhosa! Eu, quer dizer, por mim, gosto das orgulhosinhas. As orgulhosas são particularmente belas quando... bem, quando já não se duvida do poder que se tem so-

---

[18] No original, *slôvo-iers*. Em russo, existe uma partícula (um simples -*s*) que se pospõe com hífen às palavras para dar ao discurso matizes de subserviência, gentileza ou ironia. Equivale remotamente às nossas formas de tratamento tradicionais, como "senhor", "senhora" ou "senhorita", e à expressividade com que a língua oral as investiu. O narrador aqui descreve a sua própria fala, afirmando que reforçou a sua pergunta pelo uso dessa partícula. (N. do T.)

A dócil

bre elas, hein? Ah, que homem baixo, canhestro! Ah, como eu estava satisfeito! Sabem, quando ela estava parada ali no portão toda pensativa para me dizer sim, enquanto eu me espantava, sabem que ela poderia ter tido até mesmo o seguinte pensamento: "Se a desgraça está aqui e lá, não é melhor escolher logo o pior, isto é, o merceeiro gordo, que me mate o mais depressa possível, morto de bêbado!". Hein? O que os senhores acham, poderia haver um pensamento assim?

Só que mesmo agora não entendo, mesmo agora não entendo nada! Acabei de dizer que ela poderia ter tido esse pensamento: entre as duas desgraças, escolher a pior, isto é, o comerciante? Então quem era para ela o pior — eu ou o comerciante? O comerciante ou o usurário que cita Goethe? Essa é ainda uma questão! Que questão? Nem isso você entende: a resposta está em cima da mesa, e você vem falar em questão! Mas eu que me dane! Não é absolutamente de mim que se trata... A propósito, como é que eu fico agora — é ou não é de mim que se trata? Isso é o que eu realmente não consigo decidir de jeito nenhum. Seria melhor ir dormir. A cabeça dói...

III
O MAIS NOBRE DOS HOMENS,
MAS EU MESMO NÃO CREIO

Não consegui dormir. Pudera, com uma espécie de pulso me martelando na cabeça. Queria apreender tudo isso, toda essa lama. Ah, que lama! Ah, de que lama eu a arranquei então! Pois ela tinha que entender isso, reconhecer o valor do meu ato! Agradavam-me também vários pensamentos, por exemplo, o de que eu tinha quarenta e um, e ela mal fizera dezesseis. Isso me cativava, essa sensação de desigualdade, era muito doce isso, muito doce.

Eu, por exemplo, queria comemorar o casamento *à l'anglaise*,[19] isto é, decididamente a dois, exceto por duas testemunhas, uma das quais Lukéria, e logo depois ao trem, nem que fosse, por exemplo, para Moscou (acontecia a propósito que eu tinha mesmo um negócio por lá), num hotel, por umas duas semanas. Ela se opôs, não permitiu, e fui forçado a ir à casa das tias apresentar os meus respeitos, como parentes de quem eu a estava tomando. Cedi, e às tias dispensou-se o que lhes era devido. Cheguei até a presentear essas bestas com cem rublos cada uma e prometi mais, sem dizer nada a ela, é lógico, para que não a magoasse a baixeza da situação. As tias na mesma hora ficaram uma seda. Houve discussão ainda sobre o dote: ela não possuía nada,

[19] Em francês no original. (N. do T.)

A dócil

quase que literalmente, mas também nem queria nada. Eu, todavia, consegui lhe provar que absolutamente nada — era inadmissível, e o seu dote lhe dei eu mesmo, pois quem é que lhe daria alguma coisa? Bem, mas quanto a mim que se dane. Tive êxito, não obstante, em lhe transmitir apesar de tudo várias das minhas ideias, pelo menos para que ficasse sabendo. Fui até precipitado, talvez. O principal é que, desde o começo, por mais que se contivesse, ela se lançava a mim com amor, me acolhia, quando eu chegava ao anoitecer, cheia de enlevo, me contava com o seu ciciar (o deslumbrante ciciar da inocência!) toda a sua infância, a sua meninice, sobre a casa dos pais, sobre o pai e a mãe. Mas em todo esse arrebatamento dei logo de uma vez um banho de água fria. A minha ideia consistia justamente no seguinte. Aos enlevos eu respondia com o silêncio, benévolo, é claro... mas apesar de tudo ela viu num instante que nós somos diferentes, e que eu — sou um enigma. E eu, eis o que importa, apostei no enigma! Foi então para propor um enigma, talvez, que eu acabei fazendo toda essa besteira! Em primeiro lugar, a severidade — foi debaixo de severidade que a trouxe para casa. Numa palavra, embora me sentindo satisfeito, criei então todo um sistema. Ah, sem nenhum esforço ele veio à tona por si mesmo. E nem poderia ter sido de outro modo, eu precisava criar esse sistema em razão de uma circunstância inelutável — mas por que é que, afinal de contas, estou me caluniando! O sistema era verdadeiro. Não, escutem, se é para julgar um homem, então que o julguem com conhecimento de causa... Escutem!

Por onde começar, porque isso é muito difícil. Quando você começa a se justificar — aí é que fica difícil. Vejam só: a juventude despreza, por exemplo, o dinheiro — eu prontamente teimei no dinheiro; eu repisei no dinheiro. E teimei tanto que ela foi silenciando cada vez mais e mais. Arregalava mais os olhos, escutava, olhava e silenciava. Vejam só: a juventude é magnânima, isto é, a boa juventude, magnânima e impetuosa, mas tem pouca tolerância, basta um porém — e vem o desprezo. Mas eu queria a grandeza, eu queria infundir a grandeza direto no coração, infundi-la nos olhos do coração, não era isso? Vou tomar um exemplo banal: como é que eu iria explicar, digamos, a minha caixa de penhores a um caráter assim? É lógico que não toquei explicitamente no assunto, do contrário seria como se eu estivesse pedindo perdão pela caixa de penhores, mas, por assim dizer, fiz uso do orgulho, falava quase calado. É que eu sou mestre em falar calado, passei toda a minha vida falando calado e vivi comigo mesmo tragédias inteiras calado. Ah, pois eu também fui infeliz! Fui abandonado por todos, abandonado e esquecido, e ninguém, ninguém sabe disso! E de repente veio essa menina de dezesseis anos, recolheu das mãos de gente baixa pormenores sobre mim e pensou que sabia tudo, e no entanto o recôndito permaneceu apenas no peito deste homem! Eu continuava sempre calado, e particularmente, particularmente com ela eu me calava, até o dia de ontem mesmo — por que me calava? Como um homem orgulhoso. Queria que ela descobrisse por si mesma, sem mim, mas também não pelas histórias dos canalhas, que ela *por si mesma adivinhasse* acerca deste homem e o alcançasse! Ao aceitá-la na minha casa, queria respeito total. Queria que ela rezasse fervorosamente diante de mim por meus sofrimentos — e eu merecia isso. Ah, sempre fui orgulhoso, sempre quis tudo ou nada! Foi justamente por não ser um meeiro da felicidade, mas por querer tudo, foi justamente por isso que me vi forçado então a agir assim: "adivinhe por si mesma, digo eu, e dê o valor!". Porque os senhores hão de convir que

A dócil

se por conta própria eu começasse a lhe explicar e a lhe sugerir, a bajular e a pedir respeito — seria o mesmo que mendigar... Aliás... aliás, por que é que eu estou falando disso!

Besteira, besteira, besteira e besteira! Expliquei-lhe então franca e impiedosamente (e ressalto que foi impiedosamente), em duas palavras, que a generosidade da juventude é um encanto, mas — não vale um vintém.[20] Por que não vale? Porque não lhe custa nada, não resultou do fato de ter vivido, tudo são, por assim dizer, "as primeiras impressões da existência",[21] mas vamos ver como é que se arranja no trabalho! A generosidade barata é sempre fácil, e até o sacrifício da própria vida — mesmo isso também sai barato, porque nesse caso é só o sangue que ferve e há um excesso de forças,[22] e se deseja apaixonadamente a beleza! Não, vamos, tome uma proeza da generosidade, uma proeza difícil, abafada, inaudível, sem brilho, alvo de calúnia, na qual há muito sacrifício e nem uma gota de glória — na qual o senhor, um homem esplêndido, seja exposto diante de todo o mundo como um canalha, quando na verdade é mais honesto do que todos os homens da terra — bem, vamos lá,

[20] No original, *groch*, antiga moeda russa de cobre, equivalente a dois copeques. (N. do T.)

[21] Citação do segundo verso do poema "O demônio" (1823), de Aleksandr Sierguiéievitch Púchkin (1799-1837): "Nos tempos em que me eram novas/ *Todas as impressões da existência*" (tradução literal). (N. do T.)

[22] Citação imprecisa do sexto verso do poema "Não creia em si" (1839), de Mikhail Iúrievitch Liérmontov (1814-1841): "Não creia, não creia em si, jovem sonhador,/ Tema a inspiração como quem teme a peste.../ Ela — é um delírio total da sua alma doente,/ Ou a excitação de um pensamento cativo./ Nela não procure à toa sinais celestes:/ *Ou é o sangue que ferve, ou há excesso de forças!*" (tradução literal). (N. do T.)

experimente realizar essa proeza, ah, não senhor, o senhor se recusaria! Ao passo que eu — eu não fiz outra coisa em toda a minha vida senão carregar essa proeza. De início ela discutia, e como, mas depois foi se calando, completamente até, apenas arregalava demais os olhos, escutando, uns olhos assim grandes, grandes, atentos. E... e, afora isso, de repente entrevi um sorriso, desconfiado, silencioso, nada bom. Foi justamente com esse sorriso que eu a introduzi na minha casa. É verdade também que ela já não tinha para onde ir...

IV
SEMPRE PLANOS E MAIS PLANOS

Quem de nós começou primeiro?

Ninguém. Tudo começou por si só desde o primeiro passo. Eu disse que a trouxe para casa debaixo de severidade, e no entanto desde o primeiro passo abrandei. Ainda quando ela era noiva, foi-lhe explicado que se ocuparia da recepção dos penhores e da saída do dinheiro, e ela então não disse nada (notem isso). E mais ainda — mostrou inclusive dedicação ao negócio. Bem, é claro, o apartamento, a mobília — tudo permaneceu como antes. O apartamento — são dois cômodos: um deles — uma grande sala, onde há uma separação para a caixa, e o outro — grande também, é o nosso cômodo, em comum, é aqui o dormitório. A minha mobília é modesta; até mesmo a das tias era melhor. O meu oratório com a lamparina — fica na sala, onde está a caixa; no meu cômodo tenho o meu armário, com alguns livros nele, e uma pequena arca, cujas chaves ficam comigo; bem, ali há uma cama, mesas, cadeiras. Ainda quando ela era noiva, disse-lhe que para o nosso sustento, isto é, para a comida, a minha, a dela e a de Lukéria, que eu tinha arrebanhado de lá, reservava-se não mais do que um rublo por dia: "Preciso, digo eu, de trinta mil em três anos, e de outro modo não se faz dinheiro". Ela não protestou, mas eu mesmo aumen-

A dócil   41

tei a quantia em trinta copeques. Assim também com o teatro. Eu tinha dito à minha noiva que não haveria teatro, e no entanto determinei que houvesse teatro uma vez por mês, e decentemente, com cadeiras de plateia. Fomos juntos, três vezes, vimos *Em busca da felicidade*[23] e *Aves canoras*,[24] se não me engano. (Ah, que se dane, que se dane!) Íamos calados e calados voltávamos. Por que, por que desde o começo entramos a ficar calados? Pois no começo não havia brigas, mas também havia silêncio. Ela então, eu me lembro, sempre arranjava um jeito de me lançar um olhar de soslaio; assim que notei isso, só redobrei o silêncio. É verdade, fui eu que insisti no silêncio, e não ela. Da sua parte, uma vez ou duas houve arroubos, corria a me abraçar; mas, como esses arroubos eram doentios, histéricos, e eu necessitava de uma felicidade sólida, que contasse com o seu respeito, recebia-os com frieza. E eu tinha mesmo razão: depois de cada arroubo havia uma briga no dia seguinte.

Isto é, novamente não havia brigas, mas havia o silêncio e — e cada vez mais e mais um ar de atrevimento da sua parte. "Revolta e independência" — eis o que houve, só que ela não sabia como fazer. Sim, esse rosto dócil tornava-se cada vez mais e mais atrevido. Acreditem, eu me tornava intolerável para ela, observei isso muito bem. E, quanto ao fato de que ela ficava fora de si nos seus arroubos, não havia dúvidas. Mas como, tendo saído de tanta lama e miséria, depois de lavar o chão, foi de repente torcer o nariz para a nossa

[23] Drama de P. I. Iurkiévitch, morto em 1884. (N. do E.)

[24] *La Périchole* (1868), opereta de Jacques Offenbach (1819-1880), com libreto de Henri Meilhac e Ludovic Halévy, baseado em *Le Carosse du Saint-Sacrement*, de Prosper Mérimée. (N. do T.)

pobreza! Mas vejam: não era pobreza, era economia, e no que fosse preciso — havia luxo até, na roupa, por exemplo, na limpeza. Ainda antes sempre fantasiei que a limpeza do marido seduz a mulher. Aliás, ela não torcia o nariz para a pobreza, e sim para a minha suposta mesquinhez na economia: "tem objetivos, diz ela, demonstra firmeza de caráter". De repente renunciou por conta própria ao teatro. E aquela ruga ia se tornando cada vez mais e mais zombeteira... enquanto que eu redobrava o silêncio, enquanto que eu redobrava o silêncio...

Não deveria me justificar? Aí é que está o principal — essa caixa de penhores. Mas os senhores me permitam: eu sabia que uma mulher, e ainda por cima de dezesseis anos, não pode deixar de se submeter inteiramente ao homem. Nas mulheres não há originalidade, isso — isso é um axioma, inclusive agora isso é para mim um axioma! O que é aquilo que jaz lá na sala: a verdade é a verdade, e nesse caso o próprio Mill[25] não poderia fazer nada! E uma mulher que ama, ah, uma mulher que ama — vai endeusar até mesmo os vícios, até mesmo os crimes do ser amado. Ele próprio seria incapaz de arranjar as justificativas que ela vai lhe dar para

---

[25] John Stuart Mill (1806-1873), filósofo e economista inglês, autor, entre outras obras, de *Princípios de economia política* (1848) e *Utilitarismo* (1861). Aqui o narrador se refere a *A submissão das mulheres* (1869), obra na qual se podem ler defesas como esta: "Quão imenso é o número de homens, em qualquer grande nação, que são pouco mais do que bestas selvagens... Isso jamais os impede, pelas leis do matrimônio, de conseguir uma vítima... O mais desprezível dos crápulas traz amarrada a si uma mulher miserável, contra quem pode cometer qualquer atrocidade, exceto matá-la — e até isso pode fazer, sem grande risco de receber punição legal". Ver John Stuart Mill, *On Liberty & The Subjection of Women*, Wordsworth Editions, 2001. (N. do T.)

A dócil

os seus crimes. Isso é generoso, mas não é original. O que arruinou a mulher foi unicamente a falta de originalidade. E o que é, repito, o que é que os senhores estão me apontando lá em cima da mesa? E por acaso é original o que está lá em cima da mesa? Ah-ah!

Escutem: eu então estava certo do seu amor. Pois mesmo então ela se jogava no meu pescoço. Amava, ou melhor — desejava amar. Sim, era assim mesmo: desejava amar, procurava amar. Mas o principal é que aqui não havia crime nenhum para o qual ela tivesse que buscar justificativas. Os senhores dizem: um usurário, e todos dizem isso. E daí que seja um usurário? Se o mais generoso dos homens tornou-se um usurário, quer dizer que havia motivos. Vejam, senhores, há ideias... isto é, vejam, se uma determinada ideia for pronunciada, posta em palavras, o resultado vai ser uma tremenda tolice. Uma vergonha para si mesmo. E por quê? Não há por quê. Porque todos nós somos um lixo e não suportamos a verdade, ou então já nem sei. Acabei de dizer "o mais generoso dos homens". Isso é ridículo, e no entanto era isso mesmo. É a verdade, isto é, a mais, a mais verdadeira das verdades! Sim, eu *tinha o direito* de querer então me garantir e abrir essa caixa: "Os senhores me repudiaram, os senhores, isto é, os homens, vocês me enxotaram com um silêncio desdenhoso. Ao meu ímpeto apaixonado na direção dos senhores, responderam-me com uma ofensa que ficou por toda a minha vida. Agora eu, portanto, estaria no direito de me proteger dos senhores com um muro, juntar esses trinta mil rublos e viver o resto dos meus dias em algum lugar da Crimeia, na costa meridional, entre montanhas e vinhedos, na minha propriedade, comprada com esses trinta mil, e principalmente longe de todos vocês, mas sem lhes guardar rancor, com um ideal na alma, com a mulher amada no coração, com uma família, se Deus quisesse, e — ajudando aos vizinhos da aldeia". Logicamente, ainda bem que estou falando isso agora apenas comigo mesmo, pois não poderia haver tolice maior do que eu então ter-lhe pintado tudo isso alto e bom som. Eis a razão do silêncio orgulhoso, eis a razão de ficarmos calados. Porque, afinal, o que é que ela iria entender? Dezesseis anos, a flor da juventude — o que é que ela poderia entender das minhas justificativas, dos meus sofrimentos? Nela estavam a retidão, a ignorância da vida, as convicções baratas da juventude, a cegueira de galinha dos "corações de ouro", e o principal aqui — a caixa de penhores e — basta (e por acaso eu era algum facínora na caixa de penhores, por acaso ela não via como eu me comportava, ou se por acaso eu cobrava a mais?)! Ah, como é horrível a verdade sobre a terra! Essa joia, essa dócil, esse céu — ela era um tirano, o insuportável tirano da minha alma e o meu carrasco! Eu estaria caluniando a mim mesmo se não dissesse isso! Vocês pensam que eu não a amava? Quem pode dizer que eu não a amava? Vejam só: aqui há ironia, aqui se deu uma cruel ironia do destino e da natureza! Nós somos malditos, a vida dos homens é maldita em geral! (A minha, em particular!) Pois agora eu entendo que aqui devo ter cometido algum erro! Algo aqui não saiu como devia. Tudo era claro, o meu plano era claro como o céu: "Severo, orgulhoso e não carece dos consolos morais de ninguém, sofre calado". E era assim mesmo, não menti, não menti! "Ela vai ver depois por conta própria que aqui houve generosidade, só que ela não foi capaz de perceber — e, quando adivinhar isso um dia, vai dar dez vezes mais valor e vai desmoronar, as mãos postas em súplica." Eis o plano. Mas aqui eu devo ter esquecido ou perdido alguma coisa de vista. Alguma coisa aqui eu

A dócil

não soube fazer. Mas chega, chega. E agora pedir perdão a quem? Se está acabado, está acabado. Coragem, homem, e seja orgulhoso! O culpado não é você!...

Bem, então eu vou dizer a verdade, não vou ter medo de ficar face a face com a verdade: *ela* é a culpada, *ela* é a culpada!...

V
A DÓCIL SE REVOLTA

As brigas começaram quando ela de repente inventou de soltar o dinheiro como bem entendia, avaliar os objetos acima do seu valor, e umas duas vezes até se dignou a entrar numa discussão comigo sobre esse tema. Eu não concordei. Mas aí apareceu essa viúva de capitão.

A velha viúva chegou com um medalhão — presente do finado marido, bem, como sempre, uma lembrança. Dei-lhe trinta rublos. Desfez-se toda em lamúrias, a pedir que segurassem o objeto — é lógico, vamos segurá-lo. Bem, numa palavra, de repente volta cinco dias depois para trocá-lo por um bracelete que não valia nem oito rublos; eu, é lógico, recusei. Ela então deve ter adivinhado alguma coisa pelos olhos da minha mulher, porque foi só aparecer quando eu não estava e essa outra já lhe trocou o medalhão.

Ao me inteirar de tudo naquele mesmo dia, comecei a falar docilmente, mas com firmeza e bom senso. Ela estava sentada na cama, olhava para o chão, estalando a ponta do pé direito no capacho (o seu gesto); um sorriso maldoso pairava nos seus lábios. Eu, então, sem levantar a voz em absoluto, declarei calmamente que o dinheiro é *meu*, que tenho o direito de ver a vida com os *meus* olhos — e que, quando a convidei para a minha casa, não lhe havia escondido nada.

A dócil

47

Ela de repente deu um salto, de repente começou a tremer toda e — o que é que pensariam os senhores — de repente começou a espernear diante de mim; era uma fera, era um ataque, era uma fera tendo um ataque. Eu gelei de espanto; por um desatino desses não esperava. Mas não me desconcertei, nem sequer fiz um movimento, e com a mesma voz calma de antes declarei sem rodeios que a partir de então privava-a de tomar parte nas minhas ocupações. Ela deu uma gargalhada na minha cara e saiu do apartamento.

O fato é que ela não tinha o direito de sair do apartamento. Sem mim não se vai a lugar nenhum, esse havia sido o acordo ainda quando ela era noiva. Ao anoitecer ela voltou; eu, nem uma palavra.

No dia seguinte também ficou fora desde a manhã, e no outro dia a mesma coisa. Fechei a caixa e me dirigi à casa das tias. Havia rompido com elas desde o casamento — não vinham à minha casa, nem eu à delas. Agora aconteceu que ela não tinha passado por lá. Escutaram-me até o fim com curiosidade e puseram-se a rir na minha cara: "Bem feito", diziam. Mas eu já esperava o seu riso. Na mesma hora subornei a mais jovem das tias, a solteirona, por cem rublos, adiantando-lhe vinte e cinco. Dois dias depois ela vem à minha casa: "Nisso aí, diz, está metido um oficial, Iefímovitch, um tenente, que foi seu antigo colega de regimento". Fiquei bastante perplexo. Esse Iefímovitch foi o que mais mal me causou no regimento, e no entanto um mês antes, sendo o descarado que é, entrou uma vez ou outra na caixa a pretexto de penhorar alguma coisa e, lembro, começou a rir com a minha mulher. Eu cheguei a ele no ato e lhe disse que não ousasse voltar à minha casa, em consideração às nossas relações; mas não me passou pela cabeça nada assim de muito especial, só pensei simplesmente que se tratava de um sem-

-vergonha. E agora de repente a tia me informa que ela já tem um encontro marcado com ele e que quem estava comandando a coisa toda era uma velha conhecida das tias, Iúlia Samsónovna, uma viúva, e ainda por cima de um coronel — "agora é a casa dela, diz, que a sua esposa frequenta".

Vou abreviar esse quadro. A coisa me custou bem uns trezentos rublos, mas em quarenta e oito horas tudo estava arranjado para que eu pudesse ficar no cômodo vizinho, atrás de uma porta entreaberta, e ouvir o primeiro *rendez-vous*[26] a sós entre a minha mulher e Iefímovitch. Enquanto esperava por isso, na véspera, aconteceu entre mim e ela uma cena curta mas muito significativa para mim.

Ela voltou antes do anoitecer, sentou-se na cama, olha para mim com zombaria e bate o pezinho no capacho. De repente, enquanto eu olhava para ela, esvoaçou-me na cabeça a ideia de que durante todo aquele último mês, ou melhor, durante as duas últimas semanas, ela tinha assumido um caráter completamente alheio, pode-se até mesmo dizer — o caráter avesso: revelava-se uma criatura rebelde, agressiva, não digo descarada, mas indisciplinada e à procura de desassossego. Que chamava o desassossego. A docilidade, porém, atrapalhava. Quando uma criatura dessas se revolta, ainda que passe dos limites, é sempre evidente que ela só está violentando a si mesma, instigando-se a si mesma, e que ela é a primeira a não conseguir lidar com a sua pureza e a sua vergonha. É por isso que essas criaturas às vezes excedem a tal ponto a medida que você não acredita no seu próprio senso de observação. Já uma alma habituada à perversão, ao contrário, sempre vai abrandar, vai fazer sujeira pior,

---

[26] Em francês no original. (N. do T.)

A dócil

mas mantendo as aparências da ordem e do decoro, cuja pretensão é levar vantagem sobre os senhores.

— Quer dizer que é verdade que o senhor foi expulso do regimento porque não teve coragem de se bater num duelo? — perguntou-me de repente, à queima-roupa, e os seus olhos começaram a brilhar.

— É verdade; por um veredicto dos oficiais, fui convidado a me afastar do regimento, se bem que eu mesmo, aliás, já tivesse pedido baixa antes disso.

— Foi expulso como covarde?

— Sim, eles me julgaram covarde. Mas eu recusei o duelo não porque fosse covarde, e sim porque não quis me submeter ao seu veredicto tirânico e provocar um duelo, quando eu mesmo não via ofensa. Sabe — aqui eu não aguentei —, ter feito uma ação de revolta contra uma tal tirania e ter aceito todas as consequências — acabou mostrando muito mais valentia do que quaisquer duelos.

Eu não aguentei, com essa frase era como se eu tivesse desatado a me justificar; e era apenas disso que ela precisava, dessa minha nova humilhação. Começou a rir maldosamente.

— E é verdade que depois disso o senhor ficou três anos mendigando tostões como um vagabundo pelas ruas de Petersburgo e passando a noite debaixo das mesas de bilhar?

— Eu cheguei a passar a noite na Siénnaia, na casa Viázemski.[27] Sim, é verdade; mais tarde, depois do regimen-

---

[27] Endereço caro ao imaginário dostoievskiano. A Siénnaia era uma rua de baixo meretrício na antiga São Petersburgo, entre cujos frequentadores, por exemplo, estava Rodion Raskólnikov, o protagonista de *Crime e castigo* (1866). A casa Viázemski era um cortiço descomunal situado na região da Siénnaia, famoso pela imundície, que chegava a abrigar, segundo *A Voz* (*Gólos*), cerca de sete mil moradores. (N. do T.)

to, houve na minha vida muita vergonha e muita degradação, mas não degradação moral, porque mesmo naquele tempo eu era o primeiro a detestar os meus atos. Era apenas a degradação da minha vontade e da minha inteligência, e foi provocada apenas pelo desespero da minha situação. Mas isso passou...

— Ah, agora o senhor é alguém — um financista!

Ou seja, isso era uma alusão à caixa de penhores. Mas dessa vez eu consegui me conter. Eu via que ela tinha sede de explicações que me humilhassem e — não as dei. Muito a propósito um cliente tocou a campainha, e saí à sala para atendê-lo. Mais tarde, já depois de uma hora, quando ela de repente se vestiu para sair, parou diante de mim e disse:

— O senhor, porém, não me falou nada sobre isso antes do casamento?

Eu não respondi e ela saiu.

Assim, no dia seguinte eu me achava naquele quarto atrás da porta e escutava de que modo se decidia o meu destino, sendo que no bolso trazia um revólver. Ela estava toda arrumada, sentada à mesa, e Iefímovitch requebrava-se à sua frente. Dito e feito: aconteceu aquilo (falo pela minha honra), aconteceu ponto por ponto aquilo que eu vinha pressentindo e pressupondo, embora sem ter consciência de que pressentia e pressupunha isso. Não sei se estou me fazendo entender.

Eis o que aconteceu. Fiquei escutando durante uma hora inteira e durante uma hora inteira presenciei o duelo entre a mais nobre e elevada das mulheres e uma besta mundana, pervertida e embotada, com uma alma de réptil. E onde, pensava eu, embasbacado, onde é que essa ingênua, essa dócil, essa monossilábica aprendera tudo isso? Nem o mais espirituoso autor de comédias da alta sociedade seria capaz de

A dócil

51

criar essa cena de zombaria, de riso tão ingênuo e de santo desprezo da virtude pelo vício. E quanto brilho havia nas suas palavras e nas suas pequenas palavrinhas; que agudeza nas respostas rápidas, que verdade na sua reprovação! E ao mesmo tempo uma candura quase virginal. Ela lhe ria na cara das suas declarações de amor, dos seus gestos, das suas propostas. Ele chegou resolvido a ir direto ao ponto e, não esperando resistência, de repente caiu das nuvens. No começo eu poderia pensar que se tratava de puro coquetismo da parte dela — "coquetismo de uma criatura perversa mas espirituosa, que quer subir o seu preço". Mas não, a verdade começou a brilhar como o sol, e era impossível duvidar. Apenas por ódio de mim, um ódio afetado e impetuoso, ela, inexperiente, poderia decidir-se a armar esse encontro, mas quando chegou a hora — os seus olhos logo se abriram. Essa criatura simplesmente estava louca para me ferir fosse como fosse, mas, atrevendo-se a tal sujeira, não suportou a desordem. E uma criatura como ela, imaculada e pura, possuidora de um ideal, poderia seduzi-la um Iefímovitch ou qualquer uma dessas bestas da alta sociedade? Ao contrário, ele foi motivo apenas de riso. Toda a verdade ergueu-se da sua alma, e a indignação despertou o sarcasmo no seu coração. Repito, esse palhaço por fim murchou completamente e estava ali sentado todo carrancudo, mal respondendo, tanto que até fiquei com medo de que ele ousasse insultá-la tomado por um baixo sentimento de vingança. E torno a repetir: essa cena, palavra de honra, eu a escutei até o fim quase sem espanto. Era como se eu tivesse encontrado algo já conhecido. Era como se eu tivesse ido ao seu encontro. Fui, sem acreditar em nada, em nenhuma acusação, apesar de ter levado o revólver no bolso — eis a verdade! E poderia eu tê-la imaginado diferente? Por que é que eu a amava, por que é que eu lhe dava valor, por que é que eu tinha me casado com ela? Ah, é claro que eu estava bem convencido do quanto ela me odiava então, mas estava convencido também do quanto ela era pura. Acabei com a cena de repente, abrindo a porta. Iefímovitch deu um salto, eu a peguei pela mão e a convidei a sair comigo. Iefímovitch se recompôs e explodiu de repente numa gargalhada larga e retumbante:

— Ah, contra as sagradas leis do matrimônio eu não protesto, pode levá-la, pode levá-la! E fique sabendo — gritou ele no meu encalço —, embora com o senhor um homem de bem não possa se bater, mesmo assim, por respeito à sua dama, estou às suas ordens... Se é que o senhor, aliás, aceita correr o risco...

— Ouça! — detive-a um segundo na soleira da porta.

Logo após, nem uma palavra durante todo o caminho de casa. Eu a levava pela mão, e ela não resistia. Ao contrário, estava terrivelmente perplexa, mas só até em casa. Ao chegar, sentou-se numa cadeira e cravou o olhar em mim. Estava extraordinariamente pálida; embora os lábios tivessem logo tomado forma de zombaria, o olhar já era de desafio solene e severo e, pelo visto, nos primeiros minutos estava seriamente convencida de que eu a mataria com o revólver. Mas em silêncio tirei o revólver do bolso e o coloquei sobre a mesa. Ela olhava para mim e para o revólver. (Notem: esse revólver era-lhe familiar. Eu já o tinha adquirido e carregado desde a abertura da caixa de penhores. Ao abrir a caixa, decidi não manter cães enormes nem um criado forte, como faz, por exemplo, Moser. Na minha casa, quem abre a porta aos fregueses é a cozinheira. Mas, lidando com o nosso ofício, é impossível abster-se, por via das dúvidas, da autodefesa, e eu adquiri um revólver cheio de balas. Nos primeiros dias, assim que entrou na minha casa,

A dócil

53

ela se interessou muito por esse revólver, fez perguntas, e eu lhe expliquei inclusive o mecanismo e o sistema, além do que a convenci uma vez a atirar ao alvo. Notem tudo isso.) Sem prestar atenção ao seu olhar de susto, eu, semidespido, me deitei na cama. Estava muito fatigado; já eram cerca de onze horas. Ela ainda continuou sentada naquele mesmo lugar, sem se mexer, por mais ou menos uma hora, depois apagou a vela e se deitou, também vestida, junto da parede, no sofá. Era a primeira vez que não se deitava comigo — notem isso também...

VI
UMA RECORDAÇÃO TERRÍVEL

Agora essa recordação terrível...

Acordei de manhã, creio eu, pelas sete horas, e o quarto já estava quase todo claro. Acordei de vez com plena consciência e súbito abri os olhos. Ela estava em pé junto da mesa e segurava nas mãos o revólver. Não via que eu tinha acordado e vigiava. E de repente vejo que ela começa a avançar na minha direção com o revólver nas mãos. Fechei depressa os olhos e fingi que dormia profundamente.

Ela chegou até a cama e se inclinou sobre mim. Eu ouvia tudo; embora houvesse um silêncio mortal, eu ouvia esse silêncio. Nisso ocorreu um movimento convulsivo — e de repente, sem conseguir me conter, abri os olhos contra a vontade. Ela olhava para mim, bem nos meus olhos, e o revólver já estava na minha têmpora. Os nossos olhos se encontraram. Mas nós olhamos um para o outro não mais do que um instante. Tornei a fechar os olhos a custo, e naquele mesmo instante decidi com toda a força da minha alma que já não me mexeria e não abriria um olho, não importando o que estivesse à minha espera.

Com efeito, pode acontecer que um homem mergulhado em sono profundo de repente abra os olhos, até mesmo soerga por um segundo a cabeça e lance um olhar pelo quarto, e então, passado um instante, recoloque inconsciente a

A dócil

55

cabeça no travesseiro e volte a dormir sem se lembrar de nada.

Quando, ao me deparar com o seu olhar e sentindo o revólver na têmpora, eu de repente tornei a fechar os olhos e não me mexi, como alguém que dorme profundamente — ela sem dúvida podia supor que eu de fato estivesse dormindo e que não tivesse visto nada, ainda mais que seria de todo inverossímil que eu, tendo visto o que vi, tornasse a fechar os olhos num *tal* instante.

Sim, inverossímil. Mas apesar de tudo ela podia muito bem ter adivinhado a verdade — ainda isso relampejou-me no cérebro de repente, tudo no mesmo instante. Ah, que turbilhão de ideias, de sensações, varreu em menos de um instante o meu cérebro, e viva a eletricidade do pensamento humano! Nesse caso (foi o que senti), se ela adivinhou a verdade e sabe que eu não estou dormindo, então eu já a aniquilei com a minha prontidão em aceitar a morte, e agora a sua mão pode tremer. A firmeza de antes pode talvez se estraçalhar contra essa nova e extraordinária impressão. Dizem que aqueles que estão nas alturas como que são atraídos por si mesmos para baixo, para o abismo. Creio que muitos suicídios e homicídios só foram levados a cabo porque o revólver já estava na mão. Aqui também há um abismo, aqui também há um declive de quarenta e cinco graus, no qual é impossível não escorregar, e algo incita irresistivelmente a puxar o gatilho. Mas a consciência de que eu vi tudo, sei de tudo e espero dela a morte em silêncio — talvez a tenha segurado no declive.

O silêncio continuava, e de repente eu senti na têmpora, na raiz dos cabelos, o toque gelado do ferro. Os senhores vão perguntar: tinha eu a firme esperança de que me salvaria? Vou lhes responder como perante a Deus: não tinha nenhuma esperança, a não ser talvez uma chance em cem. A troco de quê, afinal, eu aceitava a morte? Mas eu vou perguntar: de que me serviria a vida depois de ter um revólver levantado contra mim por uma criatura que eu adorava? Além do mais, eu sabia com toda a força do meu ser que entre nós nesse preciso instante travava-se uma luta, um duelo terrível de vida ou morte, o duelo daquele mesmo covarde de ontem, expulso pelos companheiros em razão da sua covardia. Eu sabia disso, e ela também sabia, caso tenha adivinhado a verdade, que eu não estava dormindo.

Talvez não fosse nada disso, talvez eu nem tivesse pensado nisso então, mas tudo isso tem que ter acontecido, ainda que sem pensamento, porque depois não fiz outra coisa senão pensar nisso a cada hora da minha vida.

Mas os senhores vão fazer uma nova pergunta: por que é que não a salvou do crime? Ah, depois me fiz mil vezes essa pergunta — a cada vez que, com um frio na espinha, recordava esse segundo. Mas naquele momento a minha alma estava à mercê de um desespero tenebroso: eu me afundava, eu mesmo me afundava, então quem é que eu poderia salvar? E o que é que sabem os senhores, queria eu então ainda salvar alguém? Quem é que sabe o que eu estava sentindo naquele momento?

A consciência, no entanto, fervia; os segundos corriam, o silêncio era mortal; ela continuava ali inclinada sobre mim — e de repente estremeci de esperança! Abri rapidamente os olhos. Ela já não estava no quarto. Levantei-me da cama: eu tinha vencido — e ela tinha sido vencida para sempre!

Fui para o samovar. Na nossa casa, o samovar era sempre colocado no cômodo principal, e quem servia o chá era sempre ela. Sentei-me à mesa em silêncio e aceitei dela uma xícara de chá. Uns cinco minutos depois, lancei-lhe um olhar.

A dócil

Ela estava terrivelmente pálida, ainda mais pálida que na véspera, e olhava para mim. E súbito — e súbito, vendo que eu olhava para ela, sorriu palidamente com os lábios pálidos, uma interrogação receosa nos olhos. "Então quer dizer que ainda está em dúvida e se pergunta: ele sabe ou não sabe, ele viu ou não viu?" Desviei os olhos com indiferença. Depois do chá fechei a caixa, fui ao mercado e comprei uma cama de ferro e um biombo. De volta à casa, mandei colocar a cama na sala e cercá-la com o biombo. A cama era para ela, mas não lhe disse uma palavra. E sem palavra nenhuma ela entendeu, por meio dessa cama, que eu "tinha visto tudo e sabia de tudo" e que já não havia dúvidas. Antes de dormir deixei como sempre o revólver sobre a mesa. À noite ela foi se deitar em silêncio nessa sua nova cama: o casamento estava rompido, "está vencida, mas não está perdoada". Durante a noite caiu em delírio, e pela manhã teve febre. Passou seis semanas de cama.

CAPÍTULO SEGUNDO

I
UM SONHO DE ORGULHO

Lukéria acabou de me anunciar que não vai ficar morando na minha casa e que, assim que enterrarem a patroa — vai-se embora. Rezei de joelhos durante cinco minutos, quando na verdade queria rezar durante uma hora, mas não paro de pensar, pensar, e sempre pensamentos doentes, a cabeça doente — o que é que há para se rezar aqui — tudo é um pecado só! É estranho também que eu não tenha sono: quando o desgosto é grande, grande demais, passadas as primeiras explosões mais intensas, sempre se tem sono. Os condenados à morte, dizem, têm um sono extraordinariamente profundo na última noite.[28] E é assim que deve ser, é da natureza, do contrário não haveria força que suportasse... Eu me deitei no sofá, mas não consegui dormir...

... Durante as seis semanas da doença cuidamos dela dia e noite — eu, Lukéria e uma enfermeira do hospital, que eu contratara. Eu não poupava dinheiro, e até queria gastar com ela. Quanto ao médico, mandei chamar Schreder, e pagava-lhe dez rublos por visita. Quando ela recobrou a consciên-

---

[28] Dostoiévski se refere certamente à seguinte passagem de *O último dia de um condenado*, de Victor Hugo: "Eu lhe disse que queria dormir e me joguei na cama. Por causa de um forte afluxo de sangue à cabeça, eu realmente adormeci. Era a última vez que dormia um tal sono". (N. do E.)

A dócil

cia, passei a aparecer menos. Aliás, o que é que eu estou contando. Quando ela se restabeleceu de vez, foi sentar-se mansa e silenciosamente no meu quarto a uma mesa especial que eu também comprara para ela nesse tempo... Sim, é verdade, nós ficávamos absolutamente calados; isto é, depois começamos a falar, mas — só o trivial. Eu, é claro, não me expandia de propósito, mas observei muito bem que ela também como que estava contente por não ter que dizer nem uma palavra a mais. Isso me pareceu muito natural da sua parte: "Ela está abalada demais e arrasada demais — pensava eu — e, com certeza, é preciso deixá-la esquecer e se habituar". Desse modo seguíamos calados, mas no íntimo eu me preparava a cada minuto para o futuro. Achava que ela estivesse fazendo o mesmo, e para mim era terrivelmente intrigante tentar adivinhar: em que precisamente ela agora estará pensando consigo?

E digo mais: ah, é claro, ninguém imagina quanto eu suportei, gemendo ao seu lado durante a doença. Mas eu gemia surdamente e sufocava os gemidos no peito, escondendo-os até de Lukéria. Eu não podia conceber, nem sequer podia supor que ela morresse sem saber de tudo. Quando ela ficou fora de perigo e começou a recuperar a saúde, lembro-me disso, tranquilizei-me depressa e bastante. E não só, decidi *adiar o nosso futuro* pelo maior tempo possível, e assim deixar por enquanto tudo como estava. Sim, aconteceu-me uma coisa estranha e peculiar, não saberia chamá-la de outro modo: eu triunfava, e a mera consciência disso já se mostrava plenamente suficiente para mim.[29] Foi assim que

---

[29] O narrador aqui cita livremente o poema "O cavaleiro avaro" (1830), de Púchkin; cf. as palavras do Barão na Segunda Cena: "Eu conheço a minha força: a mim me basta a consciência disso...". (N. do E.)

transcorreu todo o inverno. Ah, eu estava mais satisfeito do que nunca, e isso durante todo o inverno.

Vejam: na minha vida houve uma terrível circunstância externa, que até então, isto é, até a própria catástrofe com a minha mulher, me sufocava a cada dia e a cada hora, mais precisamente — a perda da reputação e aquela saída do regimento. Em duas palavras: havia contra mim uma injustiça tirânica. É verdade que os meus companheiros não gostavam de mim por causa do meu caráter difícil e, talvez, ridículo, embora muitas vezes aquilo que para os senhores é elevado, recôndito e digno do seu respeito ao mesmo tempo faça rir não se sabe por que uma chusma de companheiros seus. Ah, jamais gostaram de mim, nem mesmo na escola. Jamais gostaram de mim em lugar nenhum. Nem Lukéria pode gostar de mim. O caso do regimento, embora fosse consequência do desafeto que me votavam, sem dúvida tinha um caráter acidental. Digo isso porque não há nada de mais ofensivo e insuportável do que se arruinar por um acaso que podia ser ou não ser, por um infeliz acúmulo de circunstâncias que podiam passar ao léu como nuvens. Para uma criatura inteligente, isso é humilhante. O caso foi o seguinte.

Num teatro, durante o intervalo, fui ao bufê. O hussardo A...v,[30] entrando de repente, começou a falar alto com os seus dois hussardos, diante de todos os oficiais ali presentes e do público, que o capitão Biezúmtsiev[31] do nosso regimento acabara de fazer um escândalo no corredor "e que, pelo jeito, está bêbado". A conversa não rendeu, e além

[30] Abreviação de um sobrenome de família que começa com "A" e termina com "v". (N. do T.)

[31] Nome próprio derivado da palavra russa *biezúmiets*, "insano". (N. do T.)

A dócil

do mais houvera um engano, porque bêbado o capitão Biezúmtsiev não estava, e o escândalo, a bem dizer, não fora um escândalo. Os hussardos mudaram de assunto e tudo ficou por isso mesmo, mas no dia seguinte a anedota infiltrou-se no nosso regimento e prontamente começaram a dizer que o único de nós a estar no bufê tinha sido eu, e que, quando o hussardo A...v se referira de modo petulante ao capitão Biezúmtsiev, eu não chegara a A...v e não o interrompera com uma descompostura. Mas e por que diabos deveria? Se ele tinha uma espinha com Biezúmtsiev, isso era problema pessoal deles, por que é que eu iria me meter? Entretanto, os oficiais começaram a achar que o problema não era pessoal mas dizia respeito também ao regimento, e, como dos oficiais do nosso regimento apenas eu estivera ali presente, acabei demonstrando com isso, a todos os oficiais e ao público que estavam no bufê, que no nosso regimento talvez houvesse oficiais não tão ciosos da sua própria honra e da honra do regimento. Eu não podia concordar com uma tal determinação. Fizeram-me saber que eu ainda podia consertar tudo, mesmo então, embora já fosse tarde, se me dispusesse a tirar satisfações formais com A...v. Não quis fazer isso e, como estava irritado, recusei-me com orgulho. Em seguida pedi baixa imediatamente — eis toda a história. Saí de cabeça erguida, mas o espírito estraçalhado. Perdi a vontade e a razão. Justamente nessa ocasião, calhou que o marido da minha irmã em Moscou desbaratara o nosso pequeno patrimônio e a minha parte nele incluída, uma parte minúscula, mas eu fiquei sem tostão no meio da rua. Eu poderia ter arranjado um trabalho particular, mas não arranjei: depois de uma farda brilhante, não queria ir parar em algum ponto da estrada de ferro. Pois bem — desonra é desonra, vergonha é vergonha, degradação é degradação, e quanto pior, melhor — eis a minha escolha. Nisso foram três anos de recordações tenebrosas, e até mesmo a casa Viázemski. Um ano e meio antes tinha morrido em Moscou uma velha rica, minha madrinha, e inesperadamente, incluindo-me entre os herdeiros, deixara-me três mil rublos em testamento. Pensei bem e nessa mesma época decidi o meu destino. Decidi-me pela caixa de penhores, sem pedir perdão a ninguém: dinheiro, em seguida um canto e — vida nova longe das antigas recordações — era esse o plano. Não obstante, o passado sombrio e a reputação para sempre estragada da minha honra me oprimiam a cada hora, a cada minuto. Mas foi então que me casei. Por acaso ou não — não sei. Mas, ao trazê-la para casa, eu pensava estar trazendo um amigo, pois eu necessitava muito de um amigo. Mas via claramente que esse amigo, era preciso prepará-lo, completá-lo, e até mesmo dominá-lo. E podia eu explicar alguma coisa tão rápido assim a essa menina de dezesseis anos e toda cheia de preconceitos? Por exemplo, como é que eu podia, sem a ajuda casual da terrível catástrofe que se deu com o revólver, persuadi-la de que não sou um covarde e de que no regimento me acusaram de ser um covarde injustamente? Mas a catástrofe veio bem a calhar. Ao suportar o revólver, eu tinha me vingado de todo o meu passado sombrio. E, ainda que ninguém tenha ficado sabendo daquilo, *ela* porém ficou sabendo, e isso era tudo para mim, porque ela mesma era tudo para mim, toda a esperança do meu futuro que eu sonhava nos meus sonhos! Ela era a única pessoa que eu estava preparando para mim, já nem precisava de outra — e eis que ela ficou sabendo de tudo; ela ficou sabendo pelo menos que tinha se precipitado injustamente em se unir aos meus inimigos. Esse pensamento me maravilhava. Aos olhos dela eu já não podia ser um ca-

A dócil

nalha, e sim talvez apenas um homem estranho, mas agora também esse pensamento, depois de tudo o que tinha acontecido, nem me desagradava tanto: estranheza não é defeito, ao contrário, às vezes encanta o caráter feminino. Numa palavra, adiei de propósito o desfecho: o que tinha acontecido era por enquanto mais do que suficiente para o meu sossego e continha quadros e material de sobra para os meus sonhos. Aí está o que não presta, é que eu sou um sonhador: fartava-me de material e, quanto a ela, achava que *ela esperaria*.

Assim se passou todo o inverno, numa certa espera por alguma coisa. Eu gostava de espiá-la com o rabo do olho quando, por vezes, ela se sentava à sua mesinha. Ela se ocupava do trabalho, da roupa, mas à noite de quando em quando lia os livros que tirava do meu armário. A escolha dos livros no armário também deveria testemunhar a meu favor. Ela quase não saía para lugar nenhum. Antes do pôr do sol, depois do almoço, eu a levava todo dia para passear, e fazíamos um pouco de movimento; mas não absolutamente calados como antes. Eu me esforçava justamente por fazer de conta que não estávamos calados e que conversávamos em harmonia, mas, como já disse, ambos os dois tratávamos de não nos expandirmos. Eu fazia de propósito, e, quanto a ela, pensava eu, era imprescindível "dar-lhe tempo". Evidentemente, é estranho que quase até o fim do inverno não tenha me passado nem uma só vez pela cabeça que eu gostava de olhar para ela de soslaio, mas que durante todo o inverno não tinha flagrado nem sequer um único olhar seu para mim! Achei que isso fosse receio. Além do mais, ela tinha o ar de uma docilidade tão receosa, de tanta fraqueza depois da doença. Não, é melhor esperar e — "e de repente ela mesma vai se aproximar de você..."

Esse pensamento me maravilhava irresistivelmente. Vou acrescentar o seguinte, que às vezes eu me inflamava como que de propósito e de fato conduzia a minha mente e o meu espírito a tal ponto que era como se ela tivesse me ofendido. E isso continuava assim por algum tempo. Mas o meu ódio jamais poderia amadurecer e se arraigar na minha alma. Eu mesmo, aliás, sentia que era como se isso fosse apenas um jogo. E mesmo então, aliás, embora tivesse rompido o casamento ao comprar a cama e o biombo, jamais, jamais pude vê-la como uma criminosa. E não porque julgasse levianamente o seu crime, e sim porque tinha a intenção de lhe perdoar tudo, já desde o primeiro dia, ainda antes de ter comprado a cama. Numa palavra, isso é uma estranheza da minha parte, uma vez que sou moralmente severo. Pelo contrário, aos meus olhos ela estava tão arrasada, tão humilhada, tão esmagada, que eu às vezes me torturava de pena dela, embora com tudo isso às vezes a ideia da sua humilhação decididamente me agradasse. Agradava-me a ideia dessa nossa desigualdade...

Aconteceu-me nesse inverno praticar de propósito algumas boas ações. Perdoei duas dívidas, dei dinheiro a uma mulher pobre sem exigir nenhum penhor. E não contei nada à minha mulher, e nem era para que ela ficasse sabendo; mas a própria mulher veio agradecer, e quase que de joelhos. Desse modo, o fato veio a público; pareceu-me que ela recebeu com gosto a notícia sobre essa mulher.

Mas vinha chegando a primavera, já era meio de abril, os caixilhos duplos tinham sido tirados, e o sol passou a iluminar com feixes vívidos os nossos quartos silenciosos. Mas um véu pendia diante de mim e me cegava a mente. Um véu fatídico e terrível! Como foi que de repente tudo isso me caiu dos olhos e eu de repente voltei a ver claro e entendi tudo!

A dócil

Será que foi acaso, será que tinha chegado o dia, será que um raio de sol acendeu na minha mente embotada o pensamento e a intuição? Não, aqui não se tratava nem de pensamento nem de intuição, aqui foi uma veia que começou a palpitar, foi uma veia mortificada que começou de repente a vibrar e reanimou e clareou toda a minha alma embotada e o meu orgulho demoníaco. Era como se de repente eu tivesse dado um salto. Aliás, isso aconteceu de modo súbito e brusco. Aconteceu antes do anoitecer, em torno das cinco horas, depois do almoço...

II
DE REPENTE O VÉU CAIU

Primeiro, duas palavras. Ainda um mês antes eu notara nela um estranho estado de concentração, que não era silêncio, era já concentração. Notara isso também de repente. Ela então estava sentada trabalhando, a cabeça inclinada sobre a costura, e não via que eu a observava. E de repente me surpreendeu que ela tivesse ficado tão franzina, magrinha, o rostinho pálido, os lábios embranquecidos — tudo isso em conjunto, mais o estado de concentração, chocou-me[32] súbita e extraordinariamente. Eu já tinha ouvido antes uma tosse miúda e seca, sobretudo à noite. Levantei-me na mesma hora e fui solicitar uma visita de Schreder, sem nada dizer a ela.

Schreder veio no dia seguinte. Ela ficou muito espantada e olhava ora para Schreder, ora para mim.

— Mas eu estou bem — disse ela, com um sorriso incerto.

Schreder não a examinou muito (esses médicos são às vezes de uma negligência arrogante), apenas me disse no outro quarto que isso eram restos da doença e que com a primavera não seria nada mau fazer uma viagem para algum

---

[32] No original, forma russificada do verbo francês *frapper*, traduzido aqui por "chocar", que também é um galicismo. (N. do T.)

A dócil

lugar à beira-mar ou, se não fosse possível, então simplesmente mudar para uma *datcha*. Numa palavra, não disse nada, a não ser que havia fraqueza ou algo assim. Quando Schreder saiu, ela de repente tornou a dizer, olhando para mim de um modo terrivelmente sério:

— Eu estou bem, muito bem.

Mas, ao dizer isso, de repente enrubesceu no mesmo instante, pelo visto de vergonha. Pelo visto, era vergonha. Ah, agora eu entendo: ela sentia vergonha de que eu ainda fosse *o seu marido*, de que eu ainda me preocupasse com ela sempre como um verdadeiro marido. Mas então não entendi e atribuí o rubor à sua resignação (o véu!).

E eis que um mês depois, pelas cinco horas, era abril, um claro dia de sol, eu estava sentado na caixa e fazia contas. De repente ouço que ela, no nosso quarto, à sua mesa, entregue ao trabalho, bem baixinho... começou a cantar. Essa novidade produziu em mim uma impressão avassaladora, tanto que até agora não consigo entendê-la. Até esse dia eu quase nunca a tinha ouvido cantar, a não ser bem nos primeiros dias, quando a trouxe para casa e ainda podíamos brincar de tiro ao alvo com o revólver. A sua voz então ainda era bastante forte, sonora, apesar de vacilante, mas extremamente agradável e sadia. Agora a cançãozinha estava tão fraquinha — ah, não é que fosse lamentosa (era uma romança qualquer), mas era como se na voz houvesse alguma coisa trincada, quebrada, como se a vozinha não se bastasse, como se a própria cançãozinha estivesse doente. Ela cantava a meia-voz, e de repente, ao elevá-la, a voz se esgarçou — pobre vozinha, esgarçou-se de dar pena; ela pigarreou e começou a cantar de novo, bem baixinho, pianinho...

Vão rir da minha aflição, mas ninguém nunca vai entender por que eu me afligia! Não, eu ainda não tinha pena dela, era alguma outra coisa completamente diferente. De início, pelo menos nos primeiros minutos, surgiram de repente a perplexidade e um espanto medonho, medonho e estranho, doentio e quase que vingativo: "Está cantando, e na minha presença! *Será que esqueceu que eu existo?*".

Todo abalado, fiquei onde estava, depois me levantei de repente, peguei o chapéu e saí, como que sem saber o que estava fazendo. Pelo menos não sabia para que e para onde. Lukéria veio me ajudar com o sobretudo.

— Ela está cantando? — disse sem querer a Lukéria. Essa não entendia e continuava a me olhar sem entender; aliás, eu estava realmente incompreensível.

— É a primeira vez que ela canta?

— Não; às vezes canta quando o senhor não está — respondeu Lukéria.

Eu me lembro de tudo. Desci a escada, ganhei a rua e estava a ponto de sair andando a esmo. Fui até a esquina e me pus a olhar sei lá para onde. As pessoas passavam por ali, davam-me encontrões, eu nem sentia. Fiz sinal a um cocheiro e mandei que seguisse até a ponte Politséiskii,[33] não sei para quê. Mas depois voltei atrás de repente e lhe dei uma moeda de vinte copeques:

— Isso é pelo incômodo — disse eu, rindo de graça para ele, mas no meu coração principiou de repente uma espécie de êxtase.

Tomei o rumo de casa, apertando o passo. A pobre notinha trincada e esgarçada de repente voltou a soar na minha alma. Faltava-me o fôlego. Estava caindo, estava caindo o véu dos meus olhos! Se começara a cantar na minha

---

[33] Atual ponte Narôdnii [do Povo] (que atravessa o rio Moika). (N. do E.)

A dócil

presença, então se esquecera de mim — isso é que era nítido e terrível. Era o que o coração sentia. Mas o êxtase irradiava-se na minha alma e sobrepujava o terror.

Ah, ironia do destino! Pois na minha alma não houve nem poderia ter havido, durante todo o inverno, nada que não fosse esse êxtase, mas onde eu mesmo tinha estado durante todo o inverno? tinha eu estado junto da minha alma? Subi a escada correndo a toda a pressa, nem sei se entrei ou não com cautela. Só me lembro de que era como se todo o chão ondeasse e eu flutuasse num rio. Entrei no quarto, ela continuava sentada no mesmo lugar, costurava, a cabeça inclinada, mas já não cantava. Ergueu de leve e sem interesse os olhos para mim, mas isso não era um olhar, era assim só um gesto, trivial e indiferente, que se faz quando alguém entra no quarto.

Eu me aproximei sem rodeios e me sentei ao seu lado numa cadeira, bem junto, como um doido. Ela olhou rapidamente para mim, como que levando um susto: eu peguei a sua mão e não me lembro do que lhe disse, isto é, do que queria dizer, porque eu nem sequer conseguia falar direito. A minha voz falhava e não me obedecia. Eu nem sabia o que dizer, aliás, e só ofegava.

— Vamos conversar... sabe... diga alguma coisa! — gaguejei de repente uma bobagem qualquer — ah, estava lá eu com cabeça? Ela estremeceu de novo e recuou num susto violento, olhando para o meu rosto, mas de repente — exprimiu-se nos seus olhos um *severo espanto*. Sim, espanto, e *severo*. Ela me olhava com olhos grandes. Essa severidade, esse espanto severo me esmigalharam no mesmo instante: "Então você ainda quer amor? amor?" — era o que parecia indagar de repente esse espanto, embora ela estivesse calada. Mas eu li tudo, tudo. Tudo em mim se abalou, e foi assim que eu desabei aos seus pés. Sim, eu caí aos seus pés. Ela se ergueu de um salto, mas eu a detive pelas duas mãos com uma força extraordinária.

E eu entendia perfeitamente o meu desespero, ah, entendia! Mas acreditem, o êxtase fervia tão irreprimivelmente no meu coração que eu pensava que fosse morrer. Beijava-lhe os pés cheio de enlevo e de felicidade. Sim, cheio de uma felicidade imensa e infinita, e isso diante do entendimento de todo o meu desespero irremediável! Eu chorava, falava alguma coisa, mas não conseguia falar. Nela o susto e o espanto deram lugar de repente a uma espécie de pensamento apreensivo, a uma questão extraordinária, e ela me olhava de modo estranho, até mesmo selvagem, ela queria entender alguma coisa o mais depressa possível, e sorriu. Sentia-se terrivelmente envergonhada por eu estar lhe beijando os pés, e os retirava, mas eu logo beijava no chão o lugar que eles tinham pisado. Ela viu isso e começou de repente a rir de vergonha (sabem como é, quando riem de vergonha). Prenunciava-se uma histeria, eu estava vendo, as suas mãos começaram a tremer — eu não pensava nisso e continuava a lhe balbuciar que a amava, que não iria me levantar, "me deixa beijar o teu vestido... te adorar assim a vida inteira...".[34] Não sei, não me lembro — e de repente ela se pôs a soluçar e a tremer; anunciou-se um terrível ataque de histeria. Eu a tinha assustado.

Carreguei-a para a cama. Quando o ataque passou, ela, soerguendo-se da cama, agarrou as minhas mãos com um semblante terrivelmente mortificado e pediu que eu me acalmasse: "Chega, não se torture, acalme-se!" — e recomeçava a chorar. Não saí de perto dela até o início da madrugada.

---

[34] No seu êxtase, o narrador deixa de tratá-la formalmente e passa a usar o "tu". (N. do T.)

A dócil

Dizia-lhe o tempo todo que iria levá-la a Boulogne[35] para tomar banhos de mar, agora, já, dali a duas semanas, que a sua vozinha estava tão trincada, eu a tinha ouvido fazia pouco; que eu fecharia a caixa de penhores, e a venderia para Dobronrávov; que começaria uma vida nova, e, o principal, para Boulogne, para Boulogne! Ela ouvia e continuava com medo. Tinha cada vez mais e mais medo. Mas o principal para mim não estava nisso, e sim no fato de que eu queria cada vez mais intensa e mais irreprimivelmente me deitar outra vez aos seus pés, e outra vez beijar, beijar a terra que os seus pés pisavam, e adorá-la e — "mais nada, não vou te perguntar mais nada — repetia eu a cada instante — não me responda nada, me ignora completamente, e me deixa apenas te olhar do meu canto, faz de mim o teu objeto, o teu cachorrinho..." Ela chorava.

— *E eu pensava que o senhor me deixaria assim* — escapou-lhe de repente sem querer, tão sem querer que, talvez, ela nem tenha percebido quando as disse, e no entanto — ah, essas foram as suas mais importantes, as suas mais fatídicas palavras, e as mais compreensíveis para mim naquela noite, como se elas me dessem uma facada no coração! Essas palavras me explicaram tudo, tudo, mas enquanto ela

[35] Cidade portuária situada no norte da França e balneário muito em moda durante o século XIX. Dostoiévski, que a visitou em junho-julho de 1862, menciona-a também no último capítulo de *Notas de inverno sobre impressões de verão* (1863), mas em registro sarcástico: "'*Mon mari n'a pas encore vu la mer*' ['Meu marido ainda não viu o mar'], diz a você certa *ma biche* [minha corça], e a sua voz expressa uma lástima sincera, ingênua. Isto significa que o marido ainda não viajou para Brest ou Boulogne, a fim de ver o mar. É preciso saber que o burguês tem algumas necessidades muito ingênuas e sérias, que se transformaram quase num hábito geral da burguesia" (*O crocodilo e Notas de inverno sobre impressões de verão*, trad. Boris Schnaiderman, São Paulo, Editora 34, 2000, p. 156). (N. do T.)

estava ao meu lado, diante dos meus olhos, eu tinha uma esperança irreprimível e estava terrivelmente feliz. Ah, eu a fatiguei terrivelmente naquela noite, e entendia isso, mas não parava de pensar que agora mesmo iria consertar tudo! Por fim, de madrugada, ela estava exausta até não poder mais, eu a convenci a dormir, e ela adormeceu sem demora, profundamente. Fiquei à espera do delírio, o delírio veio, mas foi bem leve. Levantava-me durante a noite quase que a cada instante, vinha devagarinho, de chinelas, ver como ela estava. Torcia as mãos junto dela, olhando para essa criatura doente deitada nesse pobre catre, a caminha de ferro que eu lhe tinha comprado então por três rublos. Punha-me de joelhos, mas não ousava beijar-lhe os pés enquanto ela dormia (sem o seu consentimento!). Punha-me a rezar a Deus, mas de novo me sobressaltava. Lukéria me espiava e só fazia ir e vir da cozinha. Fui lhe dizer que fosse se deitar e que no dia seguinte começaria "algo totalmente diferente".

E eu acreditava nisso cegamente, desvairadamente, terrivelmente. Ah, o êxtase, o êxtase me inundava! Eu só esperava pelo dia seguinte. O mais importante é que eu não acreditava em nenhuma desgraça, apesar dos sintomas. A lucidez ainda não tinha voltado de todo, se bem que o véu tivesse caído, e custou muito, muito tempo a voltar — ah, até hoje, até o próprio dia de hoje!! Além do mais, como é que a lucidez poderia ter voltado: pois ela então ainda estava viva, pois ela estava bem aqui diante de mim, e eu diante dela: "Amanhã ela vai acordar, e eu vou lhe dizer tudo isso, e ela vai ver tudo". Eis o meu raciocínio de então, simples e claro, daí o êxtase! O principal aqui é essa viagem a Boulogne. Não sei por que não parava de pensar que Boulogne — é tudo, que em Boulogne reside algo definitivo. "Para Boulogne, para Boulogne!..." Eu esperava desvairado pelo amanhecer.

A dócil

III
ENTENDO BEM DEMAIS

E pensar que isso aconteceu não faz mais do que uns poucos dias, cinco dias, não mais do que cinco dias, terça-feira passada! Não, não, se tivesse esperado só mais um pouco, só mais uma gotinha e — e eu teria dissipado as trevas! E por acaso ela não tinha se acalmado? No dia seguinte ela já me ouvia com um sorriso, apesar da perturbação... O principal é que durante todo esse tempo, durante todos os cinco dias, havia nela perturbação ou vergonha. Sentia medo também, muito medo. Não discuto, não vou ficar me contradizendo, feito um demente: estava aterrorizada, mas e como é que ela poderia não sentir medo? Pois fazia tanto tempo que tínhamos nos tornado estranhos um ao outro, tínhamos nos desabituado tanto um do outro, e de repente tudo isso... Mas eu não prestava atenção ao seu terror, algo novo resplandecia!... É verdade, verdade indubitável, que eu cometi um erro. E até mesmo, talvez, muitos erros. Assim que acordamos no dia seguinte, ainda de manhãzinha (isso foi na quarta-feira), de repente cometi logo um erro: de repente fiz dela minha amiga. Precipitei-me, demais, demais, mas a confissão era necessária, imprescindível — que nada, era mais do que uma confissão! Não ocultei nem sequer aquilo que até de mim mesmo vinha ocultando a vida inteira. Desabafei-lhe francamente que durante todo o inverno não fizera outra coisa senão ter certeza do seu amor. Esclareci-lhe que a caixa de penhores existia apenas como degradação da minha vontade

A dócil

e da minha razão, uma ideia pessoal de autoflagelação e autoelogio. Expliquei-lhe que daquela vez no bufê eu de fato me acovardara, por causa do meu caráter, das minhas cismas: impressionara-me o ambiente, o bufê me impressionara; impressionara-me o seguinte: como é que vou me sair, será que não vai parecer tolo? Acovardei-me não com o duelo, e sim com o fato de parecer tolo... Só que depois já não queria reconhecer isso e passei a torturar a todos, e por isso a torturara também, e então me casei com ela para torturá-la por isso. Em geral falava a maior parte do tempo como se ardesse em febre. Ela mesma me pegava pelas mãos e pedia que eu parasse: "O senhor está exagerando... o senhor está se torturando" — e outra vez vinham as lágrimas, e outra vez por pouco não tinha um ataque! Ela me pedia o tempo todo que eu não falasse nem me lembrasse de nada disso.

Eu não prestava atenção aos seus pedidos, ou não lhes prestava muita atenção: a primavera, Boulogne! Lá está o sol, lá está o nosso novo sol, era só isso o que eu dizia! Fechei a caixa de penhores, passei o negócio para Dobronrávov. Propus a ela de repente repartir tudo entre os pobres, exceto os três mil iniciais, herdados da minha madrinha, com os quais viajaríamos a Boulogne, para então voltarmos e começarmos uma nova vida de trabalho. E ficamos assim, porque ela não disse nada... ela apenas sorriu. E, pelo visto, sorriu mais por delicadeza, para não me magoar. Pois eu via que eu era um fardo para ela, não pensem que eu era tão tolo e tão egoísta a ponto de não ver isso. Eu via tudo, tudo, até a última filigrana, via e sabia melhor do que ninguém; todo o meu desespero dava na vista!

Contava-lhe tudo sobre mim e sobre ela. E sobre Lukéria também. Disse-lhe que tinha chorado... Ah, cheguei até a mudar de conversa, esforçava-me também por não me lembrar jamais de certas coisas. E ela até recobrou o ânimo, uma vez ou duas, eu me lembro, eu me lembro! Por que os senhores estão dizendo que eu olhava e não via nada? Se pelo menos *isso* não tivesse acontecido, tudo ressuscitaria. Pois ela mesma me contava, ainda três dias atrás, quando a conversa passou para as leituras e para o que ela tinha lido nesse inverno — ela me contava e ria lembrando-se da cena de Gil Blas com o arcebispo de Granada.[36] E que riso de criança, doce, exatamente como antes, quando ela era noiva (um átimo! um átimo!); como eu estava alegre! Isso sobre o arcebispo, aliás, me deixou extremamente admirado: quer dizer que ela, portanto, tinha encontrado paz de espírito e felicidade suficientes para se rir com uma obra-prima enquanto passava o inverno. Portanto, já tinha começado a se tranquilizar plenamente, já tinha começado a acreditar plenamente que eu a deixaria *assim*. "Eu pensava que o senhor me deixa-

---

[36] No quarto capítulo do Livro VII da *História de Gil Blas de Santiliani* — romance de linhagem picaresca de Alain-René Lesage (1668-1735) —, intitulado "O Arcebispo sofre um ataque apoplético. Dos apuros em que se achou Gil Blas, e de como deles saiu", Gil Blas, utilizando-se dos conselhos do Arcebispo, e de forma muito diplomática e prudente, expõe a sua observação crítica a respeito do derradeiro e visivelmente malsucedido sermão arcebispal. A conversa termina com a expulsão de Gil Blas e as irritadas recomendações do vaidoso orador: "Vós ainda sois jovem demais para distinguir o que é bom do que é mau. Sabei que jamais compus um sermão melhor do que esse, que teve a desgraça de merecer a vossa injúria. A minha inteligência, graças ao que há de mais sublime, ainda não perdeu nem um pouco da sua força de outrora. De hoje em diante vou ser mais cauteloso na escolha dos meus protegidos; preciso, para me aconselhar, de pessoas mais capazes do que vós (...) Adeus, senhor Gil Blas, desejo-vos passar bem e, além disso, um pouco mais de bom gosto". (N. do E.)
Essa obra de Lesage era uma das leituras eletivas de Dostoiévski, e várias das suas cartas, ao se referirem a desentendimentos, citavam o episódio em que Gil Blas "diz a verdade" ao Arcebispo. (N. do T.)

A dócil

ria *assim*" — eis o que ela tinha pronunciado então na terça-feira! Ah, a ideia de uma menina de dez anos! E acreditava mesmo, acreditava que de fato tudo ficaria *assim*: ela na sua mesa, eu na minha, e nós dois assim, até os sessenta anos. E de repente — aqui chego eu, o marido, e o marido precisa de amor! Ah que equívoco, ah que cegueira a minha!

Foi um erro também olhar para ela em êxtase; era preciso conter-me, pois o êxtase assustava. Mas, ora, eu me contive, já não lhe beijava os pés. Nem uma só vez dei a entender que... bem, que eu sou o marido — ah, isso nem me passava pela ideia, eu apenas adorava! Mas era impossível ficar completamente calado, era impossível não dizer absolutamente nada! Desabafei-lhe de repente que me deleitava com a sua conversa e que a considerava, sem comparação, sem comparação, mais culta e mais desenvolvida que eu. Ela enrubesceu muito e disse toda perturbada que eu estava exagerando. Nisso eu, de bobagem, não conseguindo aguentar, contei-lhe o êxtase que tive quando, postado atrás da porta, ouvi o seu duelo, o duelo da inocência com aquela besta, e como me deleitei com a sua inteligência, com o brilho do seu espírito, de par com uma tal ingenuidade infantil. Ela como que estremeceu inteira, gaguejou outra vez que eu estava exagerando, mas de repente todo o seu rosto se assombrou, ela o cobriu com as mãos e rompeu em soluços... Aqui eu também não suportei: de novo caí diante dela, de novo comecei a lhe beijar os pés, e de novo deu-se um ataque, assim como na terça-feira. Isso foi ontem à noite, e na manhã seguinte...

Na manhã seguinte?! Seu demente, pois se essa manhã foi hoje, ainda agora, agora mesmo!

Escutem e ponderem: quando nós nos encontramos agora há pouco junto do samovar (isso depois do ataque de ontem), ela mesma até me surpreendeu com a sua calma, foi isso o que aconteceu! E eu que passei a noite toda tremendo de medo por ontem. Mas de repente ela se aproxima de mim, para sozinha na minha frente e, de mãos postas (agora mesmo, agora mesmo!), começa a me dizer que ela — é uma criminosa, que ela sabe disso, que o seu crime a tinha torturado durante todo o inverno, e ainda agora a torturava... que ela preza demais a minha generosidade... "eu vou ser a sua fiel esposa, vou respeitar o senhor..." Então dei um salto e a abracei como um demente! Eu a beijava, beijava o seu rosto, os seus lábios, como marido, pela primeira vez depois de uma longa separação. Mas para que fui sair ainda há pouco, só por duas horas... os nossos passaportes para a viagem... Ah meu Deus! Só cinco minutos, se eu tivesse voltado cinco minutos mais cedo?... E agora essa turba diante da nossa porta, esses olhares sobre mim... ah Senhor!

Lukéria diz (ah, agora não deixo Lukéria ir embora por nada desse mundo, ela sabe de tudo, ela esteve aqui o inverno inteiro, ela vai me contar tudo), ela diz que, quando eu saí de casa, e não mais do que uns vinte minutos antes que eu voltasse —, ela entrou de repente no nosso quarto para perguntar alguma coisa à patroa, não me lembro, e viu que o seu ícone (aquele mesmo ícone da Virgem) estava fora do lugar, na mesa, diante dela, e a patroa como que tinha acabado de rezar para ele. "O que é que há, senhora?" — "Nada, Lukéria, me deixe... Espere, Lukéria" — chegou até ela e beijou-a. "A senhora, digo, está feliz?" — "Sim Lukéria." — "Já não era sem tempo, senhora, de o senhor vir lhe pedir perdão... Graças a Deus vocês fizeram as pazes." — "Está bem, Lukéria, disse, vá embora, Lukéria" — e sorriu de um jeito bem estranho. Tão estranho que dali a dez minutos Lukéria voltou de repente para vê-la: "Está junto da parede, bem perto da janela, a mão encostada na parede, a cabeça pressionada con-

A dócil

tra a mão, está assim, pensando. E está mergulhada tão fundo nos seus pensamentos que nem ouviu que eu parei e fiquei ali olhando daquele quarto. Vejo que ela parece que está sorrindo, ali parada, pensando e sorrindo. Olhei bem para ela, dei meia-volta devagarinho, saí, mas fiquei cismando cá comigo, e de repente ouço que abriram a janela. Na mesma hora fui dizer que 'está fresco, senhora, não vá pegar um resfriado', e de repente vejo que ela está subindo na janela e já está toda ali, de pé, na janela aberta, de costas para mim, segurando nas mãos o ícone. O meu coração pulou pela boca, e gritei: 'Senhora, senhora!' Ela ouviu, fez que ia se virar para mim, só que não se virou, deu um passo adiante, apertou o ícone contra o peito e se jogou da janela!".

Eu só me lembro de que, quando passei pelo portão, ela ainda estava quente. O principal é que eles não tiravam os olhos de mim. De início gritavam, mas então de repente fazem silêncio, e todos à minha frente vão abrindo passagem e... e ela jaz com o ícone. Lembro-me, como que nas trevas, que me aproximei em silêncio e fiquei ali por muito tempo olhando, todos se puseram ao redor, e me dizem alguma coisa. Lukéria estava lá, mas eu não vi. Diz que falou comigo. Só me lembro daquele burguesinho: ele não parava de me gritar que "saiu da boca uma mancheia de sangue, uma mancheia, uma mancheia!", e me apontava o sangue logo ali na pedra. Eu, pelo visto, toquei o sangue com o dedo, sujei o dedo, fiquei olhando o dedo (disso eu me lembro), e ele insistindo: "Uma mancheia, uma mancheia!".

— Mas que mancheia é essa? — comecei a berrar, é o que contam, com toda a força, levantei as mãos e parti para cima dele...

Ah, que loucura, que loucura! Um equívoco! Uma inverossimilhança! Uma impossibilidade!

IV
CHEGUEI SÓ CINCO MINUTOS ATRASADO

Ou por acaso não é? Por acaso isso é verossímil? Por acaso alguém é capaz de dizer que isso é possível? A troco de quê, para que essa mulher foi morrer?

Ah, acreditem, eu entendo; mas para que ela foi morrer — isso, apesar de tudo, ainda é uma questão. Assustou--se com o meu amor, perguntou-se a sério: aceitar ou não aceitar, e não suportou a questão, e achou melhor morrer. Eu sei, eu sei, não adianta ficar quebrando a cabeça: fez promessas demais, teve medo de que fosse impossível cumpri-las — é evidente. Aqui existem certas circunstâncias absolutamente terríveis.

Pois para que ela foi morrer? apesar de tudo, a questão permanece. Essa questão não para de martelar, não para de martelar no meu cérebro. Eu a teria deixado simplesmente *assim*, se ela quisesse que tudo ficasse *assim*. Ela não acreditou nisso, aí é que está! Não — não, eu estou mentindo, não é nada disso. Foi apenas porque comigo teria que ser honesta; se é para amar, então é amar por inteiro, e não como teria amado o comerciante. E, como ela era casta demais, pura demais para concordar com o tipo de amor que convinha ao comerciante, então também não quis me enganar. Não quis fazer passar um meio-amor sob a aparência de amor, tampouco um quarto de amor. Muito honesta mes-

A dócil

83

mo, aí é que está, meus senhores! E eu que naquele tempo queria infundir-lhe grandeza de coração, lembram-se? Ideia estranha.

É terrivelmente curioso: será que ela me respeitava? Não sei, será que ela me desprezava ou não? Não creio que me desprezasse. É terrivelmente estranho: por que nem uma única vez me passou pela cabeça, durante todo o inverno, que ela me desprezava? Eu estava plenamente convencido do contrário até aquele exato minuto em que ela olhou para mim então com um *severo espanto*. *Severo*, justamente. Foi aí que entendi na mesma hora que ela me desprezava. Entendi de uma vez por todas, para sempre! Ai, e daí, e daí que me desprezasse, nem que fosse pela vida inteira, mas — contanto que vivesse, vivesse! Agora mesmo ainda andava, falava. Não consigo entender de jeito nenhum como é que ela foi se jogar da janela! E como é que eu podia sequer imaginar uma coisa dessas cinco minutos antes? Chamei Lukéria. Agora não deixo Lukéria ir embora por nada desse mundo, por nada!

Ah, nós ainda poderíamos chegar a um acordo. Apenas nos desabituamos terrivelmente um do outro no inverno, mas por acaso era impossível retomarmos o hábito? Por que, por que não poderíamos nos afinar e recomeçar uma vida nova? Eu sou generoso, ela também — eis aí um ponto em comum! Mais algumas palavras, mais dois dias, se tanto, e ela teria entendido tudo.

O que dói, principalmente, é que tudo não passou de um acaso — um mero, bárbaro, corriqueiro acaso. Isso é o que dói! Cinco minutos, só isso, cheguei só cinco minutos atrasado! Tivesse eu chegado cinco minutos antes — e o momento teria passado ao léu como uma nuvem, e depois nunca mais lhe viria à cabeça. E por fim ela entenderia tudo. Agora, porém, de novo os cômodos vazios, de novo eu sozinho. Aí está o pêndulo batendo, ele não tem nada a ver com isso, não tem nada a lamentar. Não há ninguém — essa é a desgraça!

Eu ando, eu não paro de andar. Eu sei, eu sei, nem precisam dizer: os senhores acham ridículo que eu me lamente do acaso e dos cinco minutos? Mas é óbvio. Julguem o seguinte: ela nem sequer deixou um bilhete, que dissesse assim, "não culpem ninguém pela minha morte", como todos deixam. Será que ela não foi capaz de supor que talvez viessem molestar até mesmo Lukéria: "estava sozinha com ela, vão dizer, então foi você que a empurrou". De qualquer modo, teriam-na apertado sem motivo de culpa, se lá fora quatro pessoas não houvessem visto das janelas da casa dos fundos e do pátio que ela se pôs de pé ali com o ícone nas mãos e pulou sozinha. Mas foi também um acaso o fato de que as pessoas estivessem ali e vissem. Não, tudo isso — é um momento, apenas um momento de irreflexão. Um repente e uma fantasia! E daí que rezava diante do ícone? Isso não quer dizer que estava diante da morte. Todo esse momento não deve ter durado mais do que cerca de uns dez minutos, e toda a decisão — precisamente o tempo em que estava junto da parede, a cabeça apoiada na mão, e sorria. O pensamento esvoaçou-lhe na cabeça, rodopiou e — e diante dele não conseguiu segurar-se em pé.

Aqui há um equívoco evidente, como queiram. Ainda poderia ter vivido comigo. E se foi a anemia? E se foi simplesmente a anemia, um esgotamento da energia vital? Fatigou-se durante o inverno, foi isso...

Cheguei atrasado!!!

Como ela está franzina no caixão, como se afilou o seu narizinho! Os cílios parecem setas. E do jeito que caiu — não amassou, não quebrou nada! Só essa "mancheia de san-

A dócil

gue". Isto é, uma colher de sobremesa. Comoção interna. Pensamento estranho: e se fosse possível não enterrá-la? Porque, se a levarem embora, então... ah não, levá-la embora é quase impossível! Ah, eu sei que vão ter que levá-la embora, não estou louco e não estou delirando de maneira nenhuma, ao contrário, a minha mente nunca foi tão lúcida — mas como assim ninguém em casa outra vez, outra vez dois cômodos, e outra vez eu sozinho com os penhores. Delírio, delírio, aí é que está o delírio! Eu a esgotei — foi isso!

O que são agora as vossas leis para mim?[37] De que me servem os vossos usos, os vossos costumes, a vossa vida, o vosso Estado, a vossa fé? Que me julgue o vosso juiz, que me levem para um tribunal, para o vosso tribunal público, e eu vou dizer que não confesso nada. O juiz vai gritar: "Cale-se, oficial!". E eu vou lhe gritar: "Quem dá a você agora o poder que me faça obedecer? Por que a tenebrosa casmurrice destruiu aquilo que era mais caro que tudo? De que me valem agora as vossas leis? Eu me aparto". Ah, tanto faz!

Cega, cega! Está morta, não ouve! Você não sabe com que paraíso eu teria te cercado. O paraíso estava na minha alma, eu o teria plantado em volta de você! Bem, você não me amaria — e daí, o que importa? Tudo seria *assim*, tudo ficaria *assim*. Faria confidências apenas para mim, como amigo — e então ficaríamos alegres, e riríamos alegremente, olhos nos olhos. Viveríamos assim. E se você se apaixonasse por outro — e daí, e daí! Iria com ele, rindo, enquanto eu olharia do outro lado da rua... Ah, fosse o que fosse, contanto que ela abrisse os olhos uma única vez! Por um só momento, um só! que me lançasse um olhar, assim como ainda há pouco, quando estava diante de mim e jurava que

---

[37] Nessa passagem, o narrador mistura "vós" e "você". (N. do T.)

seria uma esposa fiel! Ah, num único olhar ela teria entendido tudo!

A casmurrice! Ah, a natureza! Os homens estão sozinhos na terra — essa é a desgraça! "Há algum homem vivo nesses campos?" — grita o bogatir[38] russo. Também grito eu, que não sou bogatir, e ninguém dá sinal de vida.[39] Dizem que o sol anima o universo. O sol vai nascer e — olhem para ele, por acaso não é um cadáver? Tudo está morto, e há cadáveres por toda a parte. Há somente os homens, e em volta deles o silêncio — essa é a terra! "Homens, amai-vos uns aos outros" — quem disse isso? de quem é esse mandamento? O pêndulo bate insensível, repugnante. Duas horas da madrugada. As suas botinhas estão junto da cama, como que esperando por ela... Não, é sério, quando amanhã a levarem embora, o que é que vai ser de mim?

[38] Herói épico russo, uma espécie de Hércules popular. (N. do T.)

[39] É possível que essa seja uma citação modificada do romance *Quem é culpado?* (1846), de Aleksandr Ivánovitch Herzen (1812-1870): "A minha vida não teve êxito, vamos deixá-la de lado. Eu sou como o herói das histórias do nosso povo (...) andava por todas as encruzilhadas e gritava: 'Há algum homem vivo nesses campos?' Mas homem vivo nenhum deu sinal de vida..." (trata-se de uma fala da personagem Vladímir Bieltov, uma encarnação do "homem supérfluo" russo). (N. do E.)

A dócil

O SONHO DE UM HOMEM RIDÍCULO

NARRATIVA FANTÁSTICA
(1877)

1

Eu sou um homem ridículo. Agora eles me chamam de louco. Isso seria uma promoção, se eu não continuasse sendo para eles tão ridículo quanto antes. Mas agora já nem me zango, agora todos eles são queridos para mim, e até quando riem de mim — aí é que são ainda mais queridos. Eu também riria junto — não de mim mesmo, mas por amá-los — se ao olhar para eles não ficasse tão triste. Triste porque eles não conhecem a verdade, e eu conheço a verdade. Ah, como é duro conhecer sozinho a verdade! Mas isso eles não vão entender. Não, não vão entender.

Antes, porém, eu me sentia muito consternado por parecer ridículo. Eu não parecia, eu era. Sempre fui ridículo, e sei disso, talvez, desde que nasci. Talvez desde os sete anos já soubesse que sou ridículo. Depois fui para a escola, depois para a universidade, e ora — quanto mais estudava, mais aprendia que sou ridículo. De modo que todos os meus estudos universitários como que só existiram, afinal, para me provar e me explicar, à medida que neles me aprofundava, que sou ridículo. Assim como nos estudos, acontecia também na vida. A cada ano aumentava e se fortalecia em mim essa mesma consciência do meu aspecto ridículo em todos os sentidos. Todos riam de mim, o tempo todo. Mas ninguém sabia nem suspeitava que, se havia na Terra um homem mais sabedor do fato de que sou ridículo, esse homem era eu, e era justo isso o que mais me ofendia, que eles não soubessem disso, mas aqui o culpado era eu mesmo: sempre fui tão orgulhoso que por nada no mundo jamais iria querer confessar o fato a ninguém. Esse orgulho cresceu em mim ao longo dos anos, e se acontecesse de me deixar confessar, diante de quem quer que fosse, que sou ridículo, creio que imediatamente, na mesma noite, estouraria os miolos com um revólver. Ah, como eu sofria na adolescência com medo de não aguentar e de repente acabar de algum jeito me confessando aos amigos. Mas desde que me tornei moço, apesar de reconhecer mais e mais a cada ano a minha horrível qualidade, por um motivo qualquer fiquei um pouco mais tranquilo. Por um motivo qualquer, justamente, porque até hoje não sei bem por que motivo.[1] Talvez porque na minha alma viesse crescendo uma melancolia terrível por causa de uma circunstância que já estava infinitamente acima de todo o meu ser: mais precisamente — ocorrera-me a convicção de que no mundo, em qualquer canto, *tudo tanto faz*.[2] Fazia muito tempo que eu vinha pressentindo isso, mas a plena convicção surgiu no último ano, assim, de repente. Senti de repente que para mim *dava no mesmo* que existisse um mundo ou que nada houvesse em lugar nenhum. Passei a perce-

---

[1] No original, construção propositalmente confusa e redundante, típica dos narradores dostoievskianos: o "justamente" confirma, como se fosse um "isso mesmo" ou um "de fato", o "por um motivo qualquer" retomado do período anterior. (N. do T.)

[2] No original, *vsiô ravnô*: literalmente, "tudo é igual" ou "de modo igual". Trata-se de uma expressão tão comum na fala e na escrita russas quanto o nosso "tanto faz". Embora em russo a expressão seja sempre essa, em português foi preciso modulá-la de acordo com a sintaxe do contexto. Daí o "dar no mesmo" e sobretudo o "tudo (me) ser indiferente". (N. do T.)

ber e a sentir com todo o meu ser que *diante de mim não havia nada*. No começo me parecia sempre que, em compensação, tinha havido muita coisa antes, mas depois intuí que antes também não tinha havido nada, apenas parecia haver, não sei por quê. Pouco a pouco me convenci de que também não vai haver nada jamais. Então de repente parei de me zangar com as pessoas e passei a quase nem notá-las. De fato, isso se manifestava até nas mínimas ninharias: estou, por exemplo, andando na rua e vou dando encontrões nas pessoas. E não era por andar mergulhado em pensamentos: sobre aquilo que eu tinha para pensar, já então cessara completamente de pensar — tudo me era indiferente. E se ao menos eu tivesse resolvido as questões; ah, não resolvi nenhuma, e quantas havia? Mas para mim tudo ficou indiferente, e as questões todas se afastaram.

Então, depois disso, eu conheci a verdade. Conheci a verdade em novembro passado, mais precisamente em três de novembro, e desde então me lembro de cada instante da minha vida. Isso aconteceu numa noite tenebrosa, na mais tenebrosa noite que pode haver. Eu voltava para casa então às onze horas da noite, e pensava justamente, eu me lembro, que não poderia haver hora mais tenebrosa. Até fisicamente falando. Havia chovido o dia todo, e era a mais gelada e tenebrosa das chuvas, uma espécie de chuva ameaçadora até, eu me lembro disso, que caía com evidente hostilidade às pessoas, e agora, de repente, às onze horas, parou de chover, e principiou uma umidade terrível, mais úmida e gelada do que a própria chuva, e tudo exalava uma espécie de vapor, cada pedra do caminho, cada beco, quando olhado da rua, de longe, bem lá no fundo. Imaginei de repente que, se o gás se extinguisse por toda a parte, seria mais reconfortante, mas com o gás aceso o coração ficava mais triste,

O sonho de um homem ridículo

porque ele iluminava tudo aquilo. Naquele dia eu quase não almoçara, e desde o começo da noite estivera na casa de um engenheiro, que recebia mais dois amigos. Eu não abri a boca o tempo todo, e pelo jeito eles se aborreceram comigo. Conversavam sobre algo polêmico, e de repente até se inflamaram. Mas para eles tudo era indiferente, eu via isso, e se acaloravam à toa. De repente desabafei-lhes isso mesmo: "Ora, senhores, para vós tanto faz". Não levaram a mal, apenas começaram a rir de mim. É que falei sem nenhuma censura, e só porque para mim tudo era indiferente. Viram mesmo que para mim tudo era indiferente e se alegraram muito.

Na rua, quando pensei sobre o gás, olhei de relance para o céu. O céu estava horrivelmente escuro, mas era possível discernir com clareza algumas nuvens rotas, e manchas negras sem fundo entre elas. De repente notei numa dessas manchas uma estrelinha, e fiquei a olhar fixamente para ela. Porque essa estrelinha me trouxe uma ideia: eu tinha decidido me matar naquela noite. Fazia dois meses que isso já estava firmemente decidido, e, apesar de ser pobre, comprei um belo revólver e carreguei-o naquele mesmo dia. Já se tinham passado dois meses, porém, e ele ainda jazia na gaveta; mas para mim tudo era a tal ponto indiferente que me deu vontade, afinal, de arranjar um minuto em que tudo não fosse assim tão indiferente, para quê — não sei. E, desse modo, durante esses dois meses, a cada noite eu voltava para casa pensando que me mataria. Só esperava o momento. E agora essa estrelinha me trouxe a ideia, e decidi que seria *sem falta* nessa mesma noite. Mas por que a estrelinha me trouxe a ideia — não sei.

Então, enquanto eu olhava para o céu, de repente essa menina me agarrou pelo cotovelo. A rua já estava deserta e não havia quase ninguém. Ao longe um cocheiro dormia num *drójki*.[3] A menina tinha uns oito anos, de lencinho e só de vestidinho, toda encharcada, mas guardei na lembrança especialmente os seus sapatos rotos e encharcados, ainda agora me lembro deles. Foram especialmente eles que me saltaram aos olhos. De repente ela começou a me puxar pelo cotovelo e a me chamar. Não chorava, mas soltava entre gritos umas palavras que não conseguia pronunciar direito, porque tremia toda com tremedeira miúda de calafrio. Estava em pânico por alguma coisa e berrava desesperada: "Mámatchka! mámatchka!".[4] Voltei o rosto para ela, mas não disse uma palavra e continuei andando, só que ela corria e me puxava, e na sua voz ressoava aquele som que nas crianças muito assustadas significa desespero. Conheço esse som. Embora ela não articulasse bem as palavras, entendi que a sua mãe estava morrendo em algum lugar, ou que alguma coisa acontecera lá com elas, e ela fora correndo chamar alguém ou achar alguma coisa para ajudar a mãe. Mas não fui atrás dela, e, ao contrário, me veio de repente a ideia de enxotá-la. Primeiro lhe disse que fosse procurar um policial. Mas ela de repente juntou as mãozinhas, e, soluçando, sufocando, corria sem parar ao meu lado e não me largava. Foi então que bati o pé e dei um grito. Ela apenas gritou bem forte: "Senhor, senhor!...", mas de repente me largou e atravessou a rua correndo desabalada: lá também apareceu um passante qualquer, e ela, pelo visto, largara de mim para alcançá-lo.

[3] Carruagem leve, aberta, de quatro rodas, tipicamente russa, tida como antiquada em comparação com as carruagens europeias. Em russo, substantivo plural. (N. do T.)

[4] Diminutivo afetivo: "mamãe". (N. do T.)

O sonho de um homem ridículo

Subi para o meu quinto andar. Moro de aluguel, numa casa de pensão.[5] O meu cômodo é pobre e pequeno, com uma janela de sótão semicircular. Tenho um divã de oleado, uma mesa, na qual ficam os livros, duas cadeiras e uma poltrona confortável, velha, bem velhinha, mas voltairiana. Sentei-me, acendi uma vela e comecei a pensar. Ao lado, no outro cômodo, atrás do tabique, a sodoma prosseguia. Já fazia três dias que estavam nisso. Aí morava um capitão reformado, e ele agora tinha visitas — meia dúzia de marmanjos, que bebiam vodca e jogavam *schtoss*[6] com umas cartas velhas. Na noite passada houve briga, e sei que dois deles ficaram um bom tempo se arrastando pelos cabelos. A senhoria quis dar queixa, mas morre de medo do capitão. Os demais inquilinos daqui são só uma senhora baixinha e magrinha, mulher de um militar, recém-chegada, e as suas três crianças pequenas, que já caíram doentes na nossa pensão. Tanto ela quanto as crianças chegam a desmaiar de medo do capitão, passam a noite toda tremendo e fazendo o sinal da cruz, e a menorzinha ficou tão apavorada que teve uma espécie de ataque. Esse capitão, sei bem, às vezes para os passantes da Niévski[7] e pede esmola. Não o aceitam em serviço nenhum, mas, coisa estranha (e é para chegar aí que estou contando isso), o capitão, durante todo o

[5] No original, arcaísmo que significa literalmente "morar em números", isto é, numa casa de cômodos, mobiliados ou não, quase sempre sublocados. (N. do T.)

[6] "Baralho". No original, forma russificada dessa palavra alemã, que em russo é o nome genérico para qualquer carteado a dinheiro. (N. do T.)

[7] Avenida Niévski, um dos eixos centrais de São Petersburgo. (N. do T.)

mês que está morando conosco, não me causou nenhum aborrecimento. Desde o começo, é claro, esquivei-me de apresentações, além do que ele mesmo se entediaria comigo logo no primeiro encontro, mas não importava quanto gritassem atrás do tabique ou quantos fossem — tudo me era sempre indiferente. Fico sentado a noite toda e, realmente, não os ouço — a tal ponto me esqueço deles. A cada noite não consigo dormir até o raiar do dia, assim já faz um ano. Passo a noite toda sentado à mesa na poltrona sem fazer nada. Os livros, só leio de dia. Fico sentado e nem pensar penso, me vêm, assim, umas ideias, mas deixo-as escapar. A vela arde até o fim numa noite. Sentei-me à mesa em silêncio, tirei o revólver e o coloquei à minha frente. Quando o coloquei, lembro, perguntei a mim mesmo: "É isso?", e com absoluta determinação respondi a mim mesmo: "É isso". Ou seja, vou me matar. Sabia que enfim nessa noite certamente me mataria, mas até lá quanto tempo ainda iria ficar sentado à mesa — isso não sabia. E é claro que teria me matado, se não fosse aquela menina.

2

Vejam só: se bem que tudo me fosse indiferente, apesar disso, dor, por exemplo, eu sentia. Se alguém me batesse, eu sentiria dor. Exatamente assim também no aspecto moral: se acontecesse alguma coisa muito penosa, eu sentiria pena, assim como quando tudo ainda não me era indiferente na vida. E eu tinha sentido pena fazia pouco: uma criança, afinal, eu teria socorrido sem falta. Por que é que eu não socorri a menina? Ora, de uma ideia que me veio naquele momento: quando ela me puxava e me chamava, de repente surgiu diante de mim uma questão, e eu não conseguia resolvê-la. A questão era fútil, mas me irritei. Me irritei em consequência da conclusão de que, se eu já tinha decidido que nessa mesma noite me mataria, então, por isso, tudo no mundo, agora mais do que nunca, deveria ser-me indiferente. Por que é que eu fui sentir de repente que nem tudo me era indiferente, e que eu tinha pena da menina? Lembro que tive muita pena dela; quase até o ponto de uma estranha dor, aliás completamente inverossímil na minha situação. Palavra, não sei transmitir melhor essa minha efêmera sensação daquele momento, mas a sensação continuou em casa, quando eu já me recolhera à mesa, e eu estava muito nervoso, como havia tempo não ficava. Raciocínio corria atrás de raciocínio. Parecia-me evidente que, se eu sou um homem e ainda não um nada, e enquanto não me transformei num nada, então estou vivo, e consequentemente posso sofrer, me zangar ou sentir vergonha pelos meus atos. Que seja. Mas se eu vou me matar, por exemplo, daqui a duas horas, então o que é que me importa a menina e o que é que tenho a ver com a vergonha e com o resto do mundo? Eu me transformo num nada, num nada absoluto. E será que a consciência de que nesse instante eu vou deixar de existir *completamente*, e que portanto nada mais vai existir também, não poderia ter a mínima influência nem no sentimento de pena pela menina, nem no sentimento de vergonha depois da baixeza cometida? Foi justamente por isso que eu bati o pé e gritei com voz de bicho para uma criança desgraçada, porque, digo, "não só não sinto pena, mas também, se cometo uma baixeza desumana, agora posso cometê-la, já que daqui a duas horas tudo vai se extinguir". Vocês acreditam que foi por isso que eu gritei? agora estou quase convencido disso. Parecia-me evidente que a vida e o mundo agora como que dependiam de mim. Podia-se até dizer que o mundo agora como que tinha sido feito só para mim: dou-me um tiro e não há mais mundo, pelo menos para mim. Sem falar ainda que, talvez, não vá haver realmente nada mais para ninguém depois de mim, e todo o mundo, assim que se extinguir a minha consciência, vai se extinguir no mesmo instante, como um fantasma, como um atributo apenas da minha consciência, e, porque vão sumir, talvez, todo esse mundo e toda essa gente — só eu é que existo. Lembro que, sentado e raciocinando, eu torcia todas essas novas questões, que se embolavam umas atrás das outras, numa direção aliás completamente diferente, e já imaginava algo completamente novo. Por exemplo, ocorreu-me de repente a estranha consideração de que, se eu vivesse antes na Lua, ou em Marte, e lá cometesse o ato mais canalha e mais desonesto que se possa imaginar, e lá fosse achincalhado e desonrado como só se pode sentir e imaginar às vezes dormindo, num pesadelo, e se, vindo parar depois na Terra, eu continuasse a ter consciência do que cometi no outro planeta e, além disso, soubesse que nunca mais, de jeito nenhum, voltaria para lá, então, olhando a Lua da Terra — tudo me *seria indiferente* ou não? Sentiria vergonha por aquele ato ou não? As questões eram fúteis e excessivas, visto que o revólver já estava diante de mim, e eu sabia com todo o meu ser que *isso* aconteceria com certeza, mas elas me inflamavam, e eu me enfurecia. Era como se agora eu já não pudesse morrer sem antes resolver uma coisa qualquer. Numa palavra, essa menina me salvou, porque com estas questões eu adiei o tiro. Enquanto isso, na casa do capitão tudo também começou a se aquietar: eles tinham parado de jogar baralho e se preparavam para dormir, ainda resmungando e arrastando um resto de briga. Foi aí que de repente eu adormeci, coisa que nunca tinha me acontecido, sentado à mesa na poltrona. Adormeci totalmente sem perceber. Os sonhos, como se sabe, são uma coisa extraordinariamente estranha: um se apresenta com assombrosa nitidez, com minucioso acabamento de ourivesaria nos pormenores, e em outro, como que sem dar-se conta de nada, você salta, por exemplo, por cima do espaço e do tempo. Os sonhos, ao que parece, move-os não a razão, mas o desejo, não a cabeça, mas o coração, e no entanto que coisas ardilosas produzia às vezes a minha razão em sonho! No entanto, em sonho acontecem com ela coisas completamente inconcebíveis. Meu irmão, por exemplo, morreu há cinco anos.[8] Às vezes vejo o meu irmão em sonho: ele

---

[8] Essa e outras reflexões sobre os sonhos são em boa parte auto-

toma parte nos meus negócios, estamos bastante compenetrados, e no entanto, ao longo de todo o sonho, sei e lembro muito bem que o meu irmão está morto e enterrado. Como é que não me espanto com o fato de que, embora esteja morto, mesmo assim ele está aqui ao meu lado e se atarefa junto comigo? Por que o meu juízo admite tudo isso? Mas basta. Dou início ao meu sonho. Sim, sonhei então esse sonho, o meu sonho de três de novembro! Eles agora caçoam de mim dizendo que isso, afinal, foi só um sonho. Mas por acaso não dá no mesmo, seja isso um sonho ou não, já que esse sonho me anunciou a Verdade? Pois, se você uma vez conhece a verdade e a enxerga, então sabe que ela é a verdade e que não há outra e nem pode haver, esteja você dormindo ou acordado. Ora, que seja um sonho, que seja, mas essa vida que vocês tanto exaltam, eu queria extingui-la com o suicídio, e o meu sonho, o meu sonho — ah, ele me anunciou uma vida nova, grandiosa, regenerada e forte!

Escutem.

biográficas (Dostoiévski sonhava frequentemente com o seu falecido irmão Mikhail, 1820-1864), e há uma elaboração direta de ideias sobre a natureza e a psicologia dos sonhos nos romances *Crime e castigo* (1866) e *O idiota* (1868). Dostoiévski tendia a atribuir a alguns dos seus próprios sonhos uma significação místico-profética. (N. do E.)

3

Eu disse que adormeci sem me dar conta, como se continuasse até a raciocinar sobre os mesmos assuntos. De repente sonhei que apanho o revólver e, sentado, aponto-o direto para o coração — para o coração, e não para a cabeça; e eu que antes tinha determinado que meteria sem falta um tiro na cabeça, mais precisamente na têmpora direita. Apontando-o para o peito, esperei um segundo ou dois, e a minha vela, a mesa e a parede diante de mim começaram de repente a se mexer e a balançar. Puxei depressa o gatilho.

Nos sonhos, você às vezes despenca das alturas, ou alguém lhe corta, ou lhe bate, mas você nunca sente dor, a não ser que você mesmo de algum modo se machuque de verdade na cama, aí sim vai sentir dor e quase sempre acordar por causa dela. Assim também no meu sonho: dor eu não senti, mas me pareceu que com o meu tiro tudo em mim estremeceu e tudo de repente se apagou, e ao meu redor tudo se tornou horrivelmente negro. Eu fiquei como que cego e mudo, e eis que estou deitado sobre algo duro, todo estirado, de costas, não vejo nada e não posso fazer o menor movimento. Ao redor andam e gritam, o capitão fala grosso, a senhoria gane — e de repente mais um intervalo, e eis que já me carregam num caixão fechado. E sinto o caixão balançar, e raciocino sobre isso, e de repente pela primeira vez me assalta a ideia de que eu, afinal, estou morto, completamente morto, sei disso e não duvido, não enxergo e não me movo, e no entanto sinto e raciocino. Mas logo me conformo com isso e, como de hábito nos sonhos, aceito a realidade sem discussão.

E eis que me metem na terra. Todos vão embora, estou sozinho, totalmente sozinho. Não me movo. Antes, sempre que imaginava acordado como me colocariam na sepultura, associava à sepultura propriamente apenas uma sensação de umidade e frio. Assim também nesse momento senti que estava com muito frio, sobretudo nas pontas dos dedos dos pés, mas não senti mais nada.

Eu jazia e, estranho, nada esperava, aceitando sem discussão que um morto nada tem a esperar. Mas ali estava úmido. Não sei quanto tempo se passou — uma hora, ou alguns dias, ou muitos dias. De repente no meu olho esquerdo fechado caiu, infiltrada pela tampa do caixão, uma gota d'água, depois de um minuto outra, depois de mais um minuto a terceira, e assim por diante, e assim por diante, sempre de minuto em minuto. Uma indignação profunda acendeu-se de repente no meu coração, e de repente senti nele uma dor física. "É a minha ferida — pensei —, é o tiro, lá está a bala..." E a gota sempre gotejando, minuto após minuto, bem no meu olho esquerdo fechado. E de repente clamei, não com a voz, já que estava inerte, mas com todo o meu ser, ao senhor de tudo o que acontecia comigo:

— Seja você quem for, mas se você é, e se existe alguma coisa mais racional do que o que está acontecendo agora, então permita a ela que seja aqui também. Se você se vinga de mim pelo meu suicídio insensato com a hediondez e o absurdo da continuação da existência, saiba que nunca nenhum tormento[9] que eu venha a sofrer vai se comparar ao desprezo que eu vou sentir calado, nem que seja durante milhões de anos de tortura!...

Clamei e me calei. Seguiu-se quase um minuto de silêncio profundo, outra gota chegou a cair, mas eu sabia, sabia e acreditava imensa e inabalavelmente que agora sem falta tudo mudaria. E eis que de repente o meu caixão se rompeu. Isto é, não sei se ele foi aberto ou desenterrado, mas fui pego por alguma criatura escura e desconhecida para mim, e nós nos encontrávamos no espaço. De repente voltei a ver: era uma noite profunda, e nunca, nunca tinha havido tamanha escuridão! Voávamos no espaço já longe da Terra. Eu não interrogava aquele que me levava sobre coisa nenhuma, eu esperava, orgulhoso. Persuadia-me de que não tinha medo, e gelava de deslumbramento com a ideia de que não tinha medo. Não lembro quanto tempo voamos, nem posso imaginar: tudo acontecia como sempre nos sonhos, quando você salta por cima do espaço e do tempo e por cima das leis da existência e da razão, e só para nos pontos que fazem o coração delirar. Lembro que de repente avistei na escuridão uma estrelinha. "É Sírius?"[10] — perguntei eu, não me con-

---

[9] No original, *mutchênie*: "tormento", "tortura", "sofrimento", "martírio", "suplício", tanto no plano abstrato quanto no concreto. De acordo com o contexto, modulou-se a tradução de *mutchênie*, bem como das palavras que lhe são afins, pelo par "tortura"/"tormento", levando em conta inclusive a relação fônica e etimológica entre esses dois nomes da dor. Mas em russo o étimo não varia. (N. do T.)

[10] Existem informações sobre essa estrela (da Constelação do Cão Maior) no livro *História do Céu*, de Camille Flammarion, que constava da biblioteca de Dostoiévski: "Sírius era vista como o astro mais brilhante da abóbada celeste [...] a mais vívida estrela do Céu, Sírius. [...] Os egípcios, observando o Céu a cada manhã, denominaram Sírius como estre-

tendo de repente, já que não queria perguntar nada. "Não, essa é a mesma estrela que você viu entre as nuvens quando voltava para casa" — respondeu-me a criatura que me levava. Eu sabia que ela possuía como que um rosto humano. Coisa estranha, não gostava dessa criatura, sentia mesmo uma aversão profunda. Esperava o não ser[11] absoluto, e por isso dei um tiro no coração. E eis que estou nos braços de uma criatura, não humana, é claro, mas que *é*, existe: "Ah, então há também uma vida além-túmulo!" — pensei eu com a estranha leviandade dos sonhos, mas a essência do meu coração permanecia comigo em toda a sua profundeza: "E se é preciso *ser* novamente — pensei eu —, e viver mais uma vez pela vontade inelutável de seja lá quem for, então não quero que me dominem e me humilhem!" — "Você sabe que eu tenho medo de você, e por isso me despreza" — disse eu de repente ao meu companheiro de viagem, não conseguindo conter uma pergunta humilhante, que trazia uma confissão em si, e sentindo, como uma picada de alfinete, a humilhação no coração. Ele não respondeu à minha pergunta, mas senti de repente que ninguém me despreza ou ri de mim, que nem mesmo se compadecem de mim, e que a nossa viagem tem um destino ignorado e misterioso, relativo a mim e a mais ninguém. O terror crescia no meu coração. Algo me era comunicado muda mas atormentadamente

la ardente, porque à sua aparição matutina seguiam-se os calores do verão e o estio". (N. do E.)

[11] No original, *niebîtia*: literalmente, "não existência" (prefixo de negação *nie* mais *bîtia*, cuja raiz é o verbo *bît*, "ser"). Embora essa palavra também possa ser traduzida simplesmente por "nada", optou-se pela expressão "não ser", para manter o jogo com a recorrência do verbo "ser" ao longo da novela. (N. do T.)

pelo meu silencioso companheiro, e como que me penetrava. Estávamos voando por espaços escuros e desconhecidos. Fazia tempo que já não via as constelações familiares ao olho. Sabia que há nos espaços celestes certas estrelas cujos raios só alcançam a Terra depois de milhares e milhões de anos. Talvez já tivéssemos voado por esses espaços. Esperava algo tomado por uma melancolia terrível, que me torturava o coração. E de repente uma espécie de sentimento familiar e sumamente invocatório me sacudiu: de repente eu vi o nosso Sol! Sabia que não podia ser o *nosso* Sol, que gerou a *nossa* Terra, e que estávamos a uma distância infinita do nosso Sol, mas por algum motivo reconheci, com todo o meu ser, que esse era um Sol exatamente igual ao nosso, uma repetição e um duplo dele. Um sentimento doce, invocatório, começou em êxtase a ressoar na minha alma: a força matriz do universo, desse mesmo universo que me deu à luz, pulsou no meu coração e o ressuscitou, e eu pude sentir a vida, a vida de antes, pela primeira vez desde o meu sepultamento.

— Mas se esse é o Sol, se esse Sol é exatamente igual ao nosso — gritei eu —, então onde está a Terra? — E o meu companheiro de viagem me apontou uma estrelinha que reluzia na escuridão com um brilho de esmeralda. Estávamos voando direto para ela.

— Serão possíveis tais repetições no universo, será possível que seja assim a lei da natureza?... E se lá está a Terra, será possível que ela seja igual à nossa... exatamente igual, desgraçada, pobre, mas preciosa e para sempre amada, que gerou, até nos seus filhos mais ingratos, o mesmo torturante amor por si, como a nossa?... — gritava eu, tremendo de um amor incontido, extasiado, por aquela mesma terra natal que eu abandonei. A imagem da pobre menina que eu tinha ofendido relampejou diante de mim.

O sonho de um homem ridículo

— Você vai ver tudo — respondeu o meu companheiro, e um certo pesar se fez ouvir na sua voz. Mas nos aproximávamos rapidamente do planeta. Ele crescia nos meus olhos, eu já distinguia o oceano, os contornos da Europa, e de repente o sentimento estranho de uma espécie de ciúme vasto, sagrado, inflamou-se no meu coração: "Como é possível semelhante repetição, e para quê? Eu amo, eu só posso amar aquela Terra que eu deixei, onde ficaram os respingos do meu sangue, quando eu, ingrato, com um tiro no coração, extingui a minha vida. Mas jamais, jamais deixei de amar aquela Terra, e mesmo naquela noite, ao me separar dela, talvez a amasse com mais tormento do que nunca. Existe tormento nessa nova Terra? Na nossa Terra não podemos amar de verdade senão com o tormento e só pelo tormento! De outro modo não sabemos amar e não conhecemos amor diferente. Eu quero o tormento para poder amar. Eu tenho desejo, eu tenho sede, neste exato instante, de beijar, banhado em lágrimas, somente aquela Terra que deixei, e não quero, não admito a vida em nenhuma outra!...".

Mas o meu companheiro de viagem já tinha me deixado. De repente, como que sem atinar com nada, eu estava nessa outra Terra sob a luz radiante de um dia ensolarado e encantador como o paraíso. Eu me achava, ao que parecia, numa daquelas ilhas que formam na nossa Terra o Arquipélago Grego, ou em algum lugar na costa do continente vizinho a esse Arquipélago. Ah, tudo era exatamente como na nossa Terra, mas parecia que por toda a parte rebrilhava uma espécie de festa e um triunfo grandioso, santo, enfim alcançado. Um carinhoso mar de esmeralda batia tranquilo nas margens e as beijava com um amor declarado, visível, quase consciente. Árvores altas, belíssimas, erguiam-se com toda a exuberância das suas floradas, e as suas inumeráveis folhinhas, estou certo disso, me saudavam com um farfalhar tranquilo e carinhoso, e como que pronunciavam palavras de amor. A relva ardia com vívidas flores aromáticas. Bandos de passarinhos cruzavam o ar e, sem medo de mim, vinham pousar nos meus ombros e nos meus braços, e me batiam alegremente com as suas asinhas meigas e tremulantes. E, finalmente, eu vi e conheci os habitantes dessa Terra feliz. Eles mesmos se aproximaram de mim, me rodearam, me beijaram. Filhos do Sol, filhos do seu próprio Sol — ah, como eles eram belos! Eu nunca tinha visto na nossa Terra tanta beleza no homem. Só nas nossas crianças, nos seus mais tenros anos de vida, é que talvez se pudesse achar um reflexo, embora distante e pálido, de tal beleza. Os olhos dessa gente feliz reluziam com um brilho límpido. Os seus rostos irradiavam uma razão e uma certa consciência que já atingira a plena serenidade, mas esses rostos eram alegres; nas palavras e nas vozes dessa gente soava uma alegria de criança. Ah, imediatamente, no primeiro olhar que lancei aos seus rostos, entendi tudo, tudo! Essa era a Terra não profanada pelo pecado original, nela vivia uma gente sem pecado, vivia no mesmo paraíso em que viveram, como rezam as lendas de toda a humanidade, os nossos antepassados pecadores, apenas com a diferença de que aqui a Terra inteira era em cada canto um único e mesmo paraíso. Essas pessoas, rindo alegremente, se achegavam a mim e me afagavam; levaram-me consigo, e cada uma delas queria me apaziguar. Ah, não me fizeram nenhuma pergunta, mas era como se já soubessem de tudo, assim me pareceu, e queriam expulsar o mais depressa possível o sofrimento do meu rosto.

O sonho de um homem ridículo

4

Vejam só, mais uma vez: ora, e daí que foi só um sonho? Mas a sensação do amor desses homens inocentes e belos permaneceu em mim para sempre, e eu sinto que ainda agora o seu amor flui de lá sobre mim. Eu mesmo os vi, os conheci e me persuadi, eu os amava, eu sofri por eles depois. Ah, entendi imediatamente, ainda então, que em muitas coisas não os entenderia jamais; a mim, um moderno progressista russo e um petersburguês sórdido, me parecia insolúvel, por exemplo, o fato de que eles, sabendo tanto, não possuíssem a nossa ciência. Mas logo entendi que a sua sabedoria se completava e se nutria de percepções diferentes das que temos na nossa Terra, e que os seus anseios eram também completamente diferentes. Eles não desejavam nada e eram serenos, não ansiavam pelo conhecimento da vida como nós ansiamos por tomar consciência dela, porque a sua vida era plena. Mas a sua sabedoria era mais profunda e mais elevada que a da nossa ciência; uma vez que a nossa ciência busca explicar o que é a vida, ela mesma anseia por tomar consciência da vida para ensinar os outros a viver; ao passo que eles, mesmo sem ciência, sabiam como viver, e isso eu entendi, mas não conseguia entender a sua sabedoria. Eles me apontavam as suas árvores, e eu não conseguia entender o grau de amor com que as olhavam: era como se falassem

O sonho de um homem ridículo

com seres semelhantes a eles. E, sabem, talvez eu não esteja enganado se disser que falavam com elas! Sim, eles descobriram a sua língua, e estou certo de que elas os entendiam. Era assim também que olhavam a sua natureza — os animais, que conviviam em paz com eles, não os atacavam e os amavam, tomados que estavam pelo seu amor. Apontavam-me as estrelas e falavam delas comigo algo que eu não conseguia entender, mas estou certo de que mantinham algum contato com as estrelas do céu, não só pelo pensamento, mas por alguma via vital. Ah, esses homens não se esforçavam por fazer com que eu os entendesse, amavam-me assim mesmo, mas em contrapartida eu sabia que eles também jamais me entenderiam, e por isso quase não lhes falava da nossa Terra. Eu só fazia beijar na sua presença aquela terra em que viviam, e sem palavras adorava-os também, e eles viam isso e se deixavam adorar, sem se envergonhar de que eu os adorasse, porque eles mesmos tinham muito amor. Não sofriam por mim quando eu, em pranto, às vezes lhes beijava os pés, sabendo alegremente no meu coração com que força de amor me responderiam. Às vezes me perguntava, espantado: como podiam eles, durante todo o tempo, não ferir alguém como eu e nunca despertar em alguém como eu sentimentos de ciúme e inveja? Muitas vezes me perguntava como é que eu, um cabotino e um mentiroso, podia não lhes falar dos meus conhecimentos, dos quais, é claro, eles não faziam ideia, tampouco desejar impressioná-los com isso, nem que fosse só por amor a eles? Eram travessos e alegres como crianças. Erravam por seus lindos bosques e florestas, cantavam as suas lindas cantigas, alimentavam-se com a comida frugal que lhes davam as suas árvores, com o mel das suas florestas e com o leite dos seus animais, que os amavam. Para obter a sua comida e a sua roupa, trabalhavam muito pouco, sem esforço. Possuíam o amor e geravam filhos, mas eu nunca notava neles os ímpetos daquela volúpia *cruel* que afeta quase todos na nossa Terra, todos e qualquer um, e é a fonte única de quase todos os pecados da nossa humanidade. Alegravam-se quando lhes vinham filhos, novos participantes da sua beatitude. Entre eles não havia brigas e não havia ciúme, e nem sequer entendiam o que significava isso. Os seus filhos eram filhos de todos, porque todos formavam uma só família. Quase não tinham doenças, se bem que houvesse a morte; mas os seus velhos morriam serenamente, como que adormecendo, cercados de pessoas que lhes diziam adeus, abençoando-as, sorrindo-lhes, enquanto eles próprios recebiam delas sorrisos luminosos de boa viagem. Nunca vi dor nem lágrimas nessas ocasiões, havia apenas um amor multiplicado como que até o êxtase, mas um êxtase calmo, pleno, contemplativo. Podia-se pensar que eles continuavam em contato com os seus mortos mesmo depois da sua morte, e que a morte não rompia a ligação terrena entre eles. Mal me entendiam quando lhes perguntava sobre a vida eterna, mas pelo visto estavam tão inconscientemente convictos dela que isso para eles não constituía uma questão. Não tinham templos, mas tinham uma espécie de ligação essencial, viva e incessante com o Todo do universo; não tinham fé, mas em troca tinham a noção firme de que, quando a sua alegria terrena se plenificasse até os limites da natureza terrena, então começaria para eles, tanto para vivos quanto para mortos, um contato ainda mais amplo com o Todo do universo. Esperavam por esse momento com alegria mas sem pressa, sem se afligir por ele, como se já o tivessem nos pressentimentos de seus corações, os quais comunicavam uns aos outros. À noite, recolhendo-se para dormir, gostavam de formar coros afinados e harmoniosos. Nas suas cantigas transmitiam

O sonho de um homem ridículo

todas as sensações que lhes proporcionara o dia que finda-va, celebravam-no e se despediam dele. Celebravam a natu-reza, a terra, o mar, as florestas. Gostavam de compor can-tigas uns para os outros e elogiavam-se uns aos outros, como crianças; eram as mais simples cantigas, mas fluíam do co-ração e penetravam no coração. E não só nas cantigas, mas, ao que parecia, levavam também toda a sua vida apenas a se deleitarem uns com os outros. Era uma espécie de amoro-sidade uns pelos outros, total, universal. Várias das suas cantigas, solenes e extasiadas, eu quase que não entendia em absoluto. Mesmo entendendo as palavras, jamais conseguia penetrar-lhes o significado. Permaneciam como que inaces-síveis à minha razão, mas em troca o meu coração como que se compenetrava delas inconscientemente cada vez mais e mais. Com frequência eu lhes dizia que já vinha pressentin-do tudo isso fazia tempo, que toda essa alegria e essa glória vinham se revelando a mim ainda na nossa Terra com uma melancolia invocatória, que chegava por vezes a uma dor insuportável; que eu vinha pressentindo a todos eles com a sua glória nos sonhos do meu coração e nas ilusões da mi-nha razão, que muitas vezes, na nossa Terra, não conseguia assistir ao Sol se pôr sem lágrimas nos olhos... Que no meu ódio aos homens da nossa Terra sempre estava contida a melancolia: por que não consigo odiá-los, se não os amo, por que não consigo deixar de perdoá-los? E ainda assim no meu amor por eles há melancolia: por que não consigo amá-los, se não os odeio? Eles me escutavam, e eu via que não con-seguiam fazer ideia do que eu dizia, mas não me lamentava de lhes dizer isso: sabia que eles entendiam toda a força da melancolia que eu sentia por aqueles que abandonara. Sim, quando eles me olhavam com o seu olhar meigo, impregna-do de amor, quando eu sentia que na sua presença o meu coração se tornava tão inocente e sincero quanto os deles, então também não me lamentava de não os entender. A sensação de plenitude da vida me tirava o fôlego, e eu os adorava calado.

Ah, todos agora estão rindo na minha cara e me garantem que nos sonhos não se pode ver tantos pormenores quantos eu descrevo, que no meu sonho eu vi ou senti intensamente apenas uma simples sensação, nascida do meu coração em delírio, e os pormenores fui eu mesmo que inventei depois de acordar. E quando lhes revelei que talvez tudo tenha sido assim mesmo — meu Deus, como riram na minha cara e quanta diversão lhes proporcionei! Ah, sim, é claro, eu estava tomado apenas por uma simples sensação daquele sonho, e só ela restou intacta no meu coração ferido até sangrar: mas em compensação as imagens e as formas reais do meu sonho, isto é, aquelas que eu de fato vi na hora em que estava sonhando, eram plenas de tanta harmonia, eram a tal ponto envolventes e belas, e a tal ponto verdadeiras, que, uma vez acordado, eu, é claro, não tive forças para encarná-las nas nossas frágeis palavras, de modo que precisaram como que se desvanecer na minha mente, e portanto, de fato, talvez, eu mesmo, inconscientemente, fui obrigado a inventar os pormenores, mas, é claro, deformando-os, sobretudo diante do meu desejo apaixonado de transmiti-los o mais depressa possível, por pouco que fosse. Mas em compensação como é que eu poderia não acreditar que tudo isso aconteceu? Que aconteceu, talvez, de um modo mil vezes melhor, mais claro e mais alegre do que estou contando? Que seja só um sonho, mas tudo isso não pode não ter acontecido. Sabem, vou lhes contar um segredo: tudo isso, talvez, não tenha sido sonho coisa nenhuma! Porque aqui se passou uma coisa tal, uma coisa tão horrivelmente ver-

O sonho de um homem ridículo

dadeira, que não poderia ter surgido em sonho. Que seja, foi o meu coração que gerou o meu sonho, mas será que o meu coração tinha forças para gerar sozinho aquela horrível verdade que depois se passou comigo? Como é que eu sozinho pude fantasiá-la ou sonhá-la com o coração? Será possível que o meu coração miúdo e a minha razão caprichosa, insignificante, tenham sido capazes de se elevar a tal revelação da verdade? Ah, julguem por si mesmos: por enquanto eu escondi, mas agora vou contar até o fim essa verdade também. O fato é que eu... perverti todos eles!

5

Sim, sim, o resultado foi que eu perverti todos eles! Como é que isso pôde acontecer — não sei, mas lembro claramente. O sonho atravessou um milênio voando e deixou em mim apenas a sensação do todo. Só sei que a causa do pecado original fui eu. Como uma triquina nojenta, como um átomo de peste infestando um Estado inteiro, assim também eu infestei com a minha presença essa Terra que antes de mim era feliz e não conhecia o pecado. Eles aprenderam a mentir e tomaram amor pela mentira e conheceram a beleza da mentira. Ah, isso talvez tenha começado *inocentemente*, por brincadeira, por coquetismo, por um jogo amoroso, na verdade, talvez, por um átomo, mas esse átomo de mentira penetrou nos seus corações e lhes agradou. Depois rapidamente nasceu a volúpia, a volúpia gerou o ciúme, o ciúme — a crueldade... Ah, não sei, não lembro, mas depressa, bem depressa respingou o primeiro sangue: eles se espantaram e se horrorizaram, e começaram a se dispersar, a se dividir. Surgiram alianças, mas dessa vez de uns contra os outros. Começaram as acusações, as censuras. Conheceram a vergonha, e a vergonha erigiram em virtude. Nasceu a noção de honra, e cada aliança levantou a sua própria bandeira. Passaram a molestar os animais, e os animais fugiram deles para as florestas e se tornaram seus inimigos. Começou a luta pela separação, pela autonomia, pela individualidade, pelo meu e pelo teu. Passaram a falar línguas diferentes. Conheceram a dor e tomaram amor pela dor, tinham sede de tormento e diziam que a verdade só se alcança pelo tormento. Então no meio deles surgiu a ciência. Quando se tornaram maus, começaram a falar em fraternidade e humanidade e entenderam essas ideias. Quando se tornaram criminosos, conceberam a justiça e prescreveram a si mesmos códigos inteiros para mantê-la, e para garantir os códigos instalaram a guilhotina. Mal se lembravam daquilo que perderam, não queriam acreditar nem mesmo que um dia foram inocentes e felizes. Riam até da possibilidade de um passado assim para a sua felicidade, e o chamavam de ilusão. Não conseguiam nem sequer concebê-lo em formas e imagens, mas, coisa estranha e maravilhosa: privados de toda a fé numa felicidade superior, chamando-a de conto da carochinha, quiseram a tal ponto ser inocentes e felizes de novo, mais uma vez, que caíram diante dos desejos do seu coração como crianças, endeusaram esse desejo, construíram templos e passaram a rezar para a sua própria ideia, para o seu próprio "desejo", ao mesmo tempo acreditando plenamente na sua impossibilidade e na sua irrealidade, mas adorando-o banhados em lágrimas e prostrando-se diante dele. E, no entanto, se pelo menos fosse possível que eles voltassem àquele estado inocente e feliz do qual se privaram, e se pelo menos alguém de repente o mostrasse a eles de novo e lhes perguntasse: querem voltar? — eles certamente recusariam. Respondiam-me: "E daí que sejamos mentirosos, maus e injustos, *sabemos* disso e deploramos isso, e nos afligimos por isso a nós mesmos, e nos torturamos e nos castigamos mais até, talvez, do que aquele Juiz misericordioso que nos julgará e cujo nome não sabemos. Mas temos a ciência, e por meio dela encontraremos de novo a verdade, mas dessa vez a usaremos conscientemente, o entendimento é superior ao sentimento, a consciência da vida — superior à vida. A ciência nos dará sabedoria, a sabedoria revelará as leis, e o conhecimento das leis da felicidade é superior à felicidade". Era o que eles me diziam, e depois de tais palavras cada um passava a amar a si mesmo mais do que aos outros, e nem podiam fazer diferente. Cada um tornou-se tão cioso da sua individualidade que não fazia outra coisa senão tentar com todas as forças humilhar e diminuir a dos outros, e a isso dedicava a sua vida. Surgiu a escravidão, surgiu até a escravidão voluntária: os fracos se submetiam de bom grado aos mais fortes, apenas para que estes os ajudassem a esmagar os que eram ainda mais fracos que eles mesmos. Surgiram os justos, que chegavam a essas pessoas com lágrimas nos olhos e lhes falavam da sua dignidade, da perda da medida e da harmonia, da sua falta de vergonha. Riam deles ou os apedrejavam. Sangue santo correu nas portas dos templos. Em compensação, surgiram pessoas que começaram a imaginar: como fazer com que todos se unam de novo, de modo que cada um, sem deixar de amar a si mesmo mais do que aos outros, ao mesmo tempo não perturbe ninguém, e possam viver assim todos juntos como que numa sociedade cordata. Desencadearam-se guerras inteiras por causa dessa ideia. Os beligerantes acreditavam firmemente ao mesmo tempo que a ciência, a sabedoria e o sentimento de autopreservação vão afinal obrigar o homem a se unir numa sociedade cordata e racional, e assim, enquanto isso, para apressar as coisas, os "sábios" esforçavam-se o mais depressa possível por exterminar todos os "não sábios" que não entendiam a sua ideia, para que não interferissem no triunfo dela. Mas o sentimento de autopreservação começou rapidamente a enfraquecer, sur-

O sonho de um homem ridículo

119

giram os orgulhosos e os lascivos, que exigiram sem rodeios ou tudo ou nada. Para tomar posse de tudo, recorria-se à canalhice, e se esta fracassasse — ao suicídio. Surgiram religiões que cultuavam o não ser e a autodestruição em nome do repouso no nada. Por fim, esses homens se cansaram desse trabalho absurdo, e nos seus rostos apareceu o sofrimento, e esses homens proclamaram que o sofrimento é a beleza, já que só no sofrimento existe razão. Eles cantaram o sofrimento nas suas cantigas. Eu andava no meio deles, torcendo as mãos, e chorava diante deles, mas os amava, talvez, até mais do que antes, quando nos seus rostos ainda não havia sofrimento e quando eram inocentes e tão belos. Passei a amar a Terra por eles profanada ainda mais do que quando era um paraíso, só porque nela surgia a desgraça. Infelizmente, eu sempre amei a desgraça e a dor, mas somente para mim mesmo, para mim mesmo, enquanto que por eles eu chorava e tinha pena. Estendia-lhes os braços, me culpando, me amaldiçoando e me desprezando em desespero. Dizia-lhes que eu é que tinha feito tudo isso, só eu; eu é que lhes tinha trazido a perversão, a doença e a mentira! Implorava-lhes que me pregassem numa cruz, ensinava-lhes como se faz uma cruz. Eu não conseguia, não tinha forças para me matar sozinho, mas queria tomar deles os suplícios, estava sedento de suplícios, sedento de que nesses suplícios o meu sangue fosse derramado até a última gota. Mas eles apenas riam de mim e passaram a me ver como um doido varrido. Eles me justificavam, diziam que tinham recebido apenas aquilo que eles mesmos desejavam, e que tudo o que havia agora não poderia deixar de haver. Por fim, anunciaram-me que eu estava me tornando um perigo para eles e que me trancariam num hospício se eu não calasse a boca. Então a dor entrou na minha alma com tanta força que o meu coração se oprimiu e eu senti que estava prestes a morrer, e foi aí... bem, foi aí que eu acordei.

* * *

Já era de manhã, isto é, ainda não tinha clareado o dia, mas eram cerca de seis horas. Eu me achava na mesma poltrona, a minha vela já tinha ardido inteira, na casa do capitão todos dormiam, e ao redor fazia um silêncio raro no nosso apartamento. Primeiro ergui-me de um salto, tomado de um espanto extraordinário; nunca tinha me acontecido nada semelhante, nem mesmo nas bobagens e ninharias da vida: nunca antes, por exemplo, tinha adormecido assim na minha poltrona. Foi então que de repente, enquanto eu estava ali parado e voltava a mim, de repente relampejou à minha frente o meu revólver, pronto, engatilhado — mas num instante o empurrei para longe de mim! Ah, agora, a vida e a vida! Levantei as mãos para o alto e evoquei a verdade eterna; nem cheguei a fazer isso e comecei a chorar; um êxtase, um êxtase desmedido elevava todo o meu ser. Sim, a vida e — a pregação! Naquele mesmo minuto decidi que iria pregar, e é claro que pelo resto da minha vida! Eu vou pregar, eu quero pregar — o quê? A verdade, pois eu a vi, eu a vi com os meus próprios olhos, eu vi toda a sua glória!

E desde então é que estou pregando! Além disso, amo a todos aqueles que riem de mim, mais do que a todos os outros. Por que motivo é assim — não sei e não posso explicar, mas que assim seja. Eles dizem que agora já estou me desencaminhando, isto é, se já me desencaminhei assim agora, o que é que vai ser daqui por diante? Verdade verdadeira: estou me desencaminhando, e talvez daqui por diante seja ainda pior. E, é claro, vou me desencaminhar várias vezes até encontrar o jeito de pregar, isto é, com que palavras e

O sonho de um homem ridículo

com que coisas, porque isso é muito difícil de levar a cabo. É que agora vejo tudo isso claro como o dia, mas escutem: quem é que não se desencaminha? E no entanto todos seguem em direção a uma única e mesma coisa, pelo menos todos anseiam por uma única e mesma coisa, do mais sábio ao último dos bandidos, só que por caminhos diferentes. Isso é uma velha verdade, mas eis o que há de novo: eu nem tenho muito que me desencaminhar. Porque eu vi a verdade, eu a vi e sei que as pessoas podem ser belas e felizes, sem perder a capacidade de viver na Terra. Não quero e não posso acreditar que o mal seja o estado normal dos homens. E eles, ora, continuam rindo justamente dessa minha fé. Mas como vou deixar de acreditar: eu vi a verdade — não é que a tenha inventado com a mente, eu vi, vi, e a sua *imagem viva* me encheu a alma para sempre. Eu a vi numa plenitude tão perfeita que não posso acreditar que ela não possa existir entre os homens. Assim, como é que eu vou me desencaminhar? Vou me desviar, é claro, várias vezes até, e vou usar, talvez, palavras alheias inclusive, mas não por muito tempo: a imagem viva daquilo que vi vai estar sempre comigo e sempre vai me corrigir e me dirigir. Ah, eu estou cheio de ânimo, eu estou novo em folha, eu vou seguir, vou seguir, ainda por mais mil anos! Sabem, eu queria até esconder, no começo, o fato de que eu tinha pervertido todos eles, mas foi um erro — aí está o primeiro erro! A verdade, porém, me cochichou que eu *mentia* e me guardou e me aprumou o passo. Mas como instaurar o paraíso — isso eu não sei, porque não sou capaz de transmitir isso em palavras. Depois do meu sonho, perdi as palavras. Pelo menos todas as palavras principais, as mais necessárias. Mas não importa: vou seguir e vou continuar falando, incansável, porque apesar de tudo vi com os meus próprios olhos, embora não seja capaz de contar o que

vi. Mas é isso que os ridentes não entendem: "Viu um sonho, dizem, delírio, alucinação". Eh! Que sabedoria é essa? E como eles se vangloriam! Um sonho? o que é um sonho? E a nossa vida não é um sonho? E digo mais: não importa, não importa que isso nunca se realize e que não haja o paraíso (já isso eu entendo!) — bem, mesmo assim vou continuar pregando. E no entanto é tão simples: num dia qualquer, *numa hora qualquer*, tudo se acertaria de uma vez só! O principal é — ame aos outros como a si mesmo, eis o principal, só isso, não é preciso nem mais nem menos: imediatamente você vai descobrir o modo de se acertar. E no entanto isso é só uma velha verdade, repetida e lida um bilhão de vezes, e mesmo assim ela não pegou! "A consciência da vida é superior à vida, o conhecimento das leis da felicidade — superior à felicidade." É contra isso que é preciso lutar! E é o que vou fazer. Basta que todos queiram, e tudo se acerta agora mesmo.

* * *

E, quanto àquela menininha, eu a encontrei... E vou prosseguir! E vou prosseguir!

SOBRE O AUTOR

Fiódor Mikháilovitch Dostoiévski nasceu em Moscou a 30 de outubro de 1821, num hospital para indigentes onde seu pai trabalhava como médico. Em 1838, um ano depois da morte da mãe por tuberculose, ingressa na Escola de Engenharia Militar de São Petersburgo. Ali aprofunda seu conhecimento das literaturas russa, francesa e outras. No ano seguinte, o pai é assassinado pelos servos de sua pequena propriedade rural.

Só e sem recursos, em 1844 Dostoiévski decide dar livre curso à sua vocação de escritor: abandona a carreira militar e escreve seu primeiro romance, *Gente pobre*, publicado dois anos mais tarde, com calorosa recepção da crítica. Passa a frequentar círculos revolucionários de Petersburgo e em 1849 é preso e condenado à morte. No derradeiro minuto, tem a pena comutada para quatro anos de trabalhos forçados, seguidos por prestação de serviços como soldado na Sibéria — experiência que será retratada em *Escritos da casa morta*, livro que começou a ser publicado em 1860, um ano antes de *Humilhados e ofendidos*.

Em 1857 casa-se com Maria Dmitrievna e, três anos depois, volta a Petersburgo, onde funda, com o irmão Mikhail, a revista literária *O Tempo*, fechada pela censura em 1863. Em 1864 lança outra revista, *A Época*, onde imprime a primeira parte de *Memórias do subsolo*. Nesse ano, perde a mulher e o irmão. Em 1866, publica *Crime e castigo* e conhece Anna Grigórievna, estenógrafa que o ajuda a terminar o livro *Um jogador*, e será sua companheira até o fim da vida. Em 1867, o casal, acossado por dívidas, embarca para a Europa, fugindo dos credores. Nesse período, ele escreve *O idiota* (1869) e *O eterno marido* (1870). De volta a Petersburgo, publica *Os demônios* (1872), *O adolescente* (1875) e inicia a edição do *Diário de um escritor* (1873-1881).

Em 1878, após a morte do filho Aleksiêi, de três anos, começa a escrever *Os irmãos Karamázov*, que será publicado em fins de 1880. Reconhecido pela crítica e por milhares de leitores como um dos maiores autores russos de todos os tempos, Dostoiévski morre em 28 de janeiro de 1881, deixando vários projetos inconclusos, entre eles a continuação de *Os irmãos Karamázov*, talvez sua obra mais ambiciosa.

SOBRE O TRADUTOR

Vadim Valentinovitch Nikitin nasceu em Moscou em 1972, e vive no Brasil desde 1976. Faz pós-graduação em Literatura Brasileira na Universidade de São Paulo e dá aulas na Escola Livre de Teatro de Santo André. É tradutor, ator e diretor. Atuou, entre outras peças, em *Bacantes* (de Eurípides), *Ela* (de Jean Genet) e *Toda nudez será castigada* (de Nelson Rodrigues), as duas primeiras sob a direção de José Celso Martinez Corrêa, com o Teatro Oficina Uzyna Uzona, e a última sob a direção de Cibele Forjaz, com a Companhia Livre. Dirigiu, por exemplo, *Os sete gatinhos* (de Nelson Rodrigues) e *Canção de cisne* (que adaptou a partir de *O canto do cisne*, de Anton Tchekhov). Fez a dramaturgia de espetáculos baseados em textos como *Medeia é um bom rapaz* (de Luiz Riaza) e do próprio *O sonho de um homem ridículo*. Traduziu *Tio Vânia*, *O jardim das cerejeiras* (ambas de Tchekhov) e *Um bonde chamado desejo* (de Tennessee Williams), ainda inéditas em livro mas já encenadas em teatro. É também um bissexto letrista de música.

ESTE LIVRO FOI COMPOSTO EM SABON,
PELA BRACHER & MALTA, COM CTP DA
NEW PRINT E IMPRESSÃO DA GRAPHIUM
EM PAPEL PÓLEN NATURAL 80 G/M^2 DA
CIA. SUZANO DE PAPEL E CELULOSE PARA
A EDITORA 34, EM MAIO DE 2025.